JOYCE MEYER

COM TODD HAFER. BASEADO NO LIVRO CAMPEÃO DE VENDAS, COM MAIS DE DOIS MILHÕES DE CÓPIAS VENDIDAS.

Campo de Batalha da mente

PARA ADOLESCENTES

VENCENDO A BATALHA EM SUA MENTE

JOYCE MEYER

Com Todd Hafer. Baseado no livro campeão de vendas, com mais de dois milhões de cópias vendidas.

Campo de Batalha da mente

PARA ADOLES-CENTES

VENCENDO A BATALHA EM SUA MENTE

Edição publicada mediante acordo com FaithWords, New York, New York. Todos os direitos reservados.

Diretor
Lester Bello

Autores
Joyce Meyer e Todd Hafer

Título Original
Battlefield of the Mind for Teens

Tradução
Célia Regina Chazanas Clavello

Revisão
Tucha

Editoração eletrônica
Eduarto Costa de Queiroz

Design capa (Adaptação)
Fernando Rezende
Ronald Machado

Impressão e Acabamento
Promove Artes Gráficas

bello

Rua Major Delfino de Paula, 1212
São Francisco, CEP 31.255-170
Belo Horizonte/MG - Brasil
contato@belloeditora.com
www.belloeditora.com

© 2006 Joyce Meyer
Copyright desta edição:
FaithWords

Publicado pela Bello Com. e Publicações Ltda-ME com devida autorização de FaithWords, New York, New York.

Todos os direitos autorais desta obra estão reservados.

1ª Edição - Setembro 2007
10ª Reimpressão - Junho 2024

M612

Meyer, Joyce
    Campo de batalha da mente para adolescentes: vencendo a batalha de sua mente / Joyce Meyer e Todd Hafer; tradução de Célia Regina Chazanas Clavello. Belo Horizonte: Bello Publicações, 2016.

   168 p.
   Battlefield of the Mind for Teens
   ISBN: 978.85.61721.31-2

   1. Controle da mente para adolescentes.
   2. Pensamento positivo. I.Hafer, Todd. II. Título.

CDD: 158.1   CDU: 159.923.2

Bibliotecária responsável:
Maria Aparecida Costa Duarte - CRB/6-1047

Sumário

PARTE UM: Tudo isso tem a ver com a mente......1

Capítulo 1: Esta é a sua mente... Esta é a sua mente numa batalha..7

Capítulo 2: João, Maria e a família recomposta que não consegue se compor....................13

Capítulo 3: Afinal, quem você pensa que é?...................23

Capítulo 4: Perseverança = Recompensa....................29

Capítulo 5: O poder do positivo................................33

Capítulo 6: Não deixe Satanás aprisionar sua mente.....41

Capítulo 7: Pense no que você está pensando................46

PARTE DOIS: Como está sua mente?...................53

Capítulo 8: Será que minha mente é normal?...............59

Capítulo 9: Ei, onde foi parar minha mente desta vez?.....63

PARTE TRÊS: Seis estados nos quais você *não* quer viver..........69

Capítulo 10: O estado de confusão..........73
Capítulo 11: Os estados de dúvida e de incredulidade..........80
Capítulo 12: O estado de preocupação..........88
Capítulo 13: O estado de julgamento..........93
Capítulo 14: O estado de passividade..........97

PARTE QUATRO: Zonas de perigo mentais..........103

Zona de perigo mental n° 1: "Não quero assumir a responsabilidade por minha vida espiritual. Isso não é obrigação dos pastores e dos pais?"..........106

Zona de perigo mental n° 2: "Meu futuro é determinado pelo meu passado e pelo meu presente"..........109

Zona de perigo mental n° 3: "Ou é do meu jeito ou nada feito"..........112

Zona de perigo mental n° 4: "A vida é muito difícil para mim; Deus não poderia tornar as coisas mais fáceis?"..........117

Zona de perigo mental n° 5: "A vida é muito injusta, isso não me dá o *direito* de reclamar?"..........119

Zona de perigo mental n° 6: "O meu comportamento pode estar errado, mas não é minha culpa!"..........124

Zona de perigo mental n° 7: "Tenho o direito de me sentir infeliz, a minha vida é uma droga!"..........128

Zona de perigo mental nº 8: "Não sou uma pessoa muito boa, por isso não mereço as bênçãos de Deus"..................132

Zona de perigo mental nº 9: "Por que não posso ser invejoso? A maioria das pessoas que conheço são melhores do que eu"..................134

Conclusão: O que Jesus pensaria? Essa é a sua arma!..........139

Notas..................149

Referências..................153

PARTE UM

Tudo isso tem a ver com a mente

INTRODUÇÃO

Imagine isto: você está assistindo ao seu programa de TV favorito e bem no meio da parte mais empolgante uma repórter anuncia: "Interrompemos esta programação para trazer as últimas notícias". Ela diz: "Toda a população de Montana, Dakota do Sul, Wyoming, Alaska, Vermont e Dakota do Norte foi atacada por uma doença sexualmente transmissível! Permaneça sintonizado nesta estação para mais detalhes. E tenha uma boa-noite, a menos que você more em Montana, Dakota do Sul, Wyoming, Alaska, Vermont e Dakota do Norte!"

Como você reagiria a essas notícias? Você ficaria chocado? Incrédulo? Preocupado? Bem, acredite ou não, o cenário acima não é completamente imaginário. Todo ano, mais de quatro milhões de adolescentes, que é o equivalente à população de todos esses Estados que acabo de mencionar, contraem uma doença sexualmente transmissível. É verdade, adolescentes assim como você!

Adolescentes enfrentam outro problema também. Os desafios que você enfrenta hoje como adolescente não são apenas na área sexual. Nos Estados Unidos, quando se formam no segundo grau, 56% dos adolescentes bebem regularmente e 40% embebedam-se ocasionalmente. Hoje, oito adolescentes morrerão como resultado do alcoolismo. Amanhã a mesma triste história se repetirá. E no dia seguinte e no seguinte... O álcool é um fator-chave entre as três principais causas da morte entre adolescentes: acidentes com automóveis, homicídio e suicídio.

Você ouve fatos terríveis como esse e se pergunta: *por quê?* Tenho feito a mesma pergunta. Felizmente, a Palavra de Deus tem as respostas. Você pode pensar que a pressão dos colegas, a mídia, uma criação paterna ou a liderança deficiente dos adultos são os culpados. E você pode estar certo, ao menos parcialmente. Mas a batalha mais crucial que você enfrentará para viver uma vida significativa, segura e satisfatória não será travada nos corredores da escola, no baile de formatura, nas sessões de bate-papo da internet ou mesmo diante da televisão. A batalha mais heróica de todas será travada no campo de batalha da sua mente. Quero me assegurar de que os bons vencerão.

Provérbios 23.7 diz: *Porque, como [uma pessoa] imagina em sua alma, assim ele é.* Em outras palavras, sua atitude determina suas ações. Pense em seu corpo como um computador de última geração, cujo disco rígido é sua mente. Ela comanda tudo o mais. Se o disco rígido foi corrompido ou danificado, não importa quanto o seu monitor seja de alta definição, quão potente sejam suas caixas acústicas ou quanto sua conexão à internet seja rápida. Se o disco rígido estiver comprometido, seu computador será, no máximo, um grande peso para papéis ou um monumento que perdeu seu potencial e desperdiçou dinheiro.

Tenho ajudado pessoas como você a compreender melhor a Palavra de Deus por quase trinta anos e, quanto mais sirvo a Deus e mais estudo sua Palavra, mais percebo como as palavras e os pensamentos são importantes. Verdadeiramente creio que o Espírito Santo de Deus tem me levado a estudar a batalha pela mente e trazer um relato diretamente das linhas de combate para você.

Quero que você vença a batalha por *sua* mente. E quero que você vença disparado e seja capaz de ajudar outros a vencer também.

Seu primeiro passo em direção à vitória é verdadeiramente compreender Provérbios 23.7, o versículo que diz que o que pensamos a respeito de nós mesmos determina quem somos. Uma tradução da Bíblia acrescenta uma chave importante: "Como o homem pensa em seu coração, assim ele se torna". Você consegue entender as diferenças sutis entre duas traduções? É verdade, a batalha por sua mente não somente determina quem você é como pessoa agora, mas também o que você será no futuro.

Sua vida, suas ações, sempre será o resultado direto dos seus pensamentos. Se você tem um padrão de pensamento negativo, terá uma vida negativa. Mas se você renovar sua mente de acordo com o plano de Deus para sua vida, terá uma vida abundante. É simples assim.

Sua vida pode ser muito difícil agora. Cerca de 90% dos estudantes do 2º grau dizem sofrer estresse ao menos em alguma parte do tempo. Mas não desista. Não se desespere nem deixe de acreditar. Pouco a pouco, você pode mudar. O fato de estar lendo essas palavras agora mostra que você tem, ao menos, alguma esperança.

Mantenha-se com esperança. Mantenha-se se esforçando para mudar sua mente para melhor porque, quando você muda sua mente para melhor, sua vida também será melhor. Quando você começar a ver o maravilhoso plano de Deus para sua vida, desejará segui-lo.

Oro para que este livro o ajude a vencer a batalha por sua mente e a batalha por sua própria vida.

Esta é sua mente... esta é a sua mente numa batalha

Porque a nossa luta não é contra o sangue e a carne, e sim contra os principados e potestades, contra os dominadores deste mundo tenebroso, contra as forças espirituais do mal, nas regiões celestes.

Efésios 6.12

Você tem se sentido um pouco cansado ultimamente? Confuso? Deprimido? Distraído demais? Não é de admirar, você está numa guerra.

Contudo, sua guerra não é uma batalha convencional que pode ser combatida com armas convencionais. Dê uma olhada no versículo que começa este capítulo. Essa batalha não é contra outros seres humanos. Não é contra seus arquiinimigos da escola. Não é contra seus professores. Nem contra seu ex-namorado ou namorada. Nem mesmo contra seus pais.

Seu inimigo é o próprio Satanás (o ex-anjo que se tornou diabo), com suas forças demoníacas. Satanás persegue você com um plano de ataque cuidadosamente traçado, um plano que você pode nem mesmo perceber. De fato, você pode nem mesmo acreditar que esteja realmente numa guerra. Esse é uma das maiores armas do seu inimigo: o engano

Satanás é um mentiroso. Jesus o chamou de "O pai da mentira e de tudo que é falso" (João 18.44 – Amplificada). Aqui estão algumas das suas linhas enganosas, as quais ele usará enquanto tentar controlar sua mente. Quantas delas você tem ouvido, de uma forma ou outra?

- Você não precisa ouvir seus pais, seu pastor, seus líderes de jovens e todas essas pessoas que tentam lhe dizer como viver. Quero dizer, olhe para eles, esses hipócritas incompetentes. Olhe para suas falhas e inconsistências. Esta é *a sua* vida. Viva-a do seu jeito.
- Bebida, drogas e sexo realmente não o prejudicarão. Todas essas histórias terríveis não acontecerão com você. É apenas uma grande tática para assustá-lo. Os adultos não querem que você tenha qualquer alegria, embora eles tenham se divertido bastante quando eram da sua idade. Eles simplesmente querem controlar sua vida.
- Você realmente acredita em "diabo"? Um sujeito vermelho com rabo, chifre e um tridente na mão? Uma pessoa inteligente como você? Caia na real, isso é um mito! Não há diabo, e não há inferno E, a propósito, não há Deus e nem céu também. "Aqui e agora" é tudo que existe. Assim, aproveite a vida quanto puder.
- Vamos, admita: você tem dúvidas sobre Deus o tempo inteiro. Se Deus fosse real, por que permitiria essas dúvidas perturbando-lhe a mente?
- Se realmente houvesse um Deus que se importasse, você se sentiria tão sozinho como se sente, tão pressionado pela vida como está e tão impotente para mudar as coisas?

Você já sentiu como se alguém estivesse bombardeando sua mente com perguntas e pensamentos como esses? Eis como Satanás opera. Ele planta todo tipo de pensamento crítico, desconfiado e cético em sua mente. Ele se move lentamente, de acordo com seus planos pré-estabelecidos para você. Lembre-se sempre de que quando Satanás vem para destruir sua vida, ele tem uma estratégia de batalha especificamente traçada contra você. Ele o tem estudado por um longo tempo e quer atacá-lo onde você for fraco, onde for curioso e onde for inconsistente.

Por exemplo, ele conhece suas inseguranças. Se você for inseguro quanto à sua aparência física, o diabo pode traçar um plano para trazer alguém em sua vida que lhe dirá como você é maravilhoso, alguém que fará você se sentir atraente. Então, essa pessoa que você acolher em sua vida poderá começar a pressioná-lo para um relacionamento sexual. Você sabe que não deveria, mas você não quer arriscar-se a perder alguém que faz você se sentir tão bem sobre si mesmo.

Assim, agora Satanás pode simplesmente se sentar e observar você tropeçar. Ele coloca sua arma secreta no lugar. Ele tem tempo (e a força intensa dos seus hormônios) a favor dele. Ele sabe que você não pode ligar a TV, conectar a internet ou abrir uma revista sem ver imagens sexuais de algum tipo. (Por exemplo, há mais de 4 milhões de sites pornográficos na internet). Ele investirá todo tempo que for necessário para fazer você cair. O diabo é limitado em muitas áreas, mas paciência não é uma delas. E ele tem paciência de sobra.

Felizmente você não terá de ir à batalha desarmado. A Bíblia, a mensagem santa de Deus, lhe assegura: "Porque as armas da nossa milícia não são carnais [armas de carne e sangue, físicas], e sim poderosas em Deus, para (derrubar e) destruir fortalezas, [à medida que nós refutamos argumentos e teorias e raciocínios e] anulando nós sofismas e toda altivez que se levante contra o [verdadeiro] conhecimento de Deus, e levando cativo todo pensamento (e propósito) à obediência de Cristo (o Messias, o ungido)" (2 Coríntios 10.4-5).

Agora, você pode estar se perguntando, *Quais são essas "fortalezas" que devo derrubar e destruir?*

Pense dessa forma: Satanás quer jogar com você como num videogame, conquistando um nível de cada vez. Vamos voltar ao nosso exemplo da tentação. Satanás não vai tentar transformar você de uma pessoa pura em alguém promiscuamente descontrolado e sexualmente viciado em sexo da noite para o dia. Não, ele, provavelmente, fará com que você se interesse por um filme sexualmente sugestivo, mas um dos filmes do momento, o tipo do filme que passa no cinema ou na TV a cabo o tempo inteiro. Ou talvez uma sala de bate-papo da internet onde a conversa geralmente, mas não o tempo inteiro, se torna inadequada.

Em seguida, você pode encontrar-se visitando os sites da internet que você sabe que não deveria ou se interessando por filmes do próximo nível, passando daqueles que passam tipicamente na TV aberta ou a cabo para os filmes do *pay-per-view* (NT.: é o nome dado a um sistema no qual os que assistem a TV podem adquirir uma programação específica, a qual desejem assistir, comprando, por exemplo, o direito a assistir determinados eventos) que sejam bem mais sensuais.

E a coisa continua. O mesmo tipo de coisa acontece com drogas, bebida, fraudes, e mentiras. Quantos de seus amigos você tem visto mentir para seus pais, via celular, sobre o lugar onde eles estão, com quem eles estão e o que estão fazendo? Essas mentiras, muito provavelmente, eram bastante inocentes a princípio, como: "Claro, mamãe. Tomei o café da manhã"; ou, "Claro, papai, não temos qualquer tarefa de casa neste fim de semana". Mas essa mentira "nível 1" logo passa para o "nível 2", e assim por diante.

Você consegue perceber a sutil estratégia de guerra de Satanás? Isso assusta você, ao menos um pouco? Bom. Todo bom soldado entrar na batalha com um intenso senso de atenção. Somente um tolo entraria uma guerra e não estaria consciente do que está em jogo.

Os doze desprezíveis: doze maneiras como os adolescentes de hoje estão perdendo a batalha pela mente e pela vida

1. Quase metade de todos os adolescentes entre o 1º e o 3º ano do 2º Grau têm tido relações sexuais, incluindo 61% dos alunos do último ano do 2º grau (e adolescentes que assistem a muitos programas de sexo na TV são mais do dobro nesse percentual do que aqueles que têm maior restrição sobre os programas a que assistem).[1,2]

2. Quase metade das pessoas abaixo de 21 anos que bebem álcool, embebedam-se (embebedar-se é tomar cinco ou mais drinques numa única ocasião). Mais de 500 mil jovens são involuntariamente feridos a cada ano sob influência do álcool. E cerca de 1.500 deles morreram como resultado direto do abuso do alcoól, tal como intoxicação alcoólica.[3]

3. Entre os adolescentes 73% dizem ver ao menos um ato de discriminação racial por mês, mas somente 22% falam e fazem algo sobre isso.[4]

4. Pais e adolescentes não falam a mesma língua quando se trata de sexo. Enquanto metade dos adolescentes de hoje são sexualmente ativos, 84% dos pais acreditam que seus filhos não são sexualmente ativos. Enquanto isso, 87% os adolescentes dizem que seria mais fácil adiar o sexo se eles tivessem conversas mais abertas e honestas com os pais.[5]

5. Uma em cada seis adolescentes estava bêbada quando perdeu sua virgindade (uma em cada sete diz que seu parceiro também estava bêbado).[6]

6. Os Estados Unidos têm a maior incidência de vítimas de doenças sexualmente transmissíveis e gravidez na adolescência do mundo desenvolvido. De fato, a taxa de adolescentes grávidas nos Estados Unidos é o dobro de qualquer outra nação industrializada.[7]

7. O suicídio é terceira maior causa da morte entre americanos da idade entre 15 e 24 anos.[8]
8. Mais de 4 milhões de adolescentes são infectados com doenças sexualmente transmissíveis a cada ano[9]
9. Cerca de um em cada quatro adolescentes do oitavo grau têm tentado cheirar produtos químicos domésticos como tíner para tinta ou corretor para ficarem "altos".[10]
10. A cada ano mais de 800 mil garotas de até 19 anos engravidam nos Estados Unidos.[11]
11. A idade média na qual os adolescentes começam a tomar drogas é de 13 anos.[12]
12. Entre os alunos sexualmente ativos do 2º Grau, mais de 21% têm quatro ou mais parceiros sexuais.[13]

Certo, vamos ver o que aprendemos até agora:

1. Você está engajado numa guerra.
2. Satanás é seu inimigo.
3. Sua própria mente é o campo de batalha.
4. O diabo trabalhará diligentemente para estabelecer fortalezas em sua mente, conquistando o território passo a passo, assim como um jogador ganha num videogame.
5. O diabo trabalha para conquistar a vitória por meio de estratégias e engano: planos de batalha e mentiras. Uma das suas maiores mentiras é convencer você de que ele não existe.
6. Seu inimigo não tem pressa. Ele dará tempo. Ele não precisa vencer agora. Ele quer vencer no final.

Agora vamos para o próximo capítulo e ver outra forma como o plano satânico pode atingir seus resultados cruéis.

João, Maria, e a família recomposta que não consegue se compor

Cada família tem seus problemas, mas uma adolescente chamada Maria e seu padrasto sentem como se sua família sofresse mais dramas e traumas do que qualquer novela da TV. Aqui estão dois lados da mesma triste história.

Maria tem um problema: "Meu padrasto está arruinando totalmente a minha vida!"

A mãe biológica de Maria divorciou-se do pai biológico dela e casou-se novamente com um homem chamado João, dois anos mais tarde. A adolescente Maria, com 17 anos de idade, e seu novo pai estão em pé de guerra quase o tempo inteiro. Ela se aborrece com ele porque a presença dele matou todas suas esperanças de que a mãe de Maria e seu "verdadeiro pai" se reconciliassem.

Ela está tão furiosa o tempo inteiro que não consegue se concentrar nos estudos, e seu estômago dói todas as vezes que ela tenta comer. Sua solução: não comer, a menos que ela sinta que irá desmaiar.

Maria não quer que João arruíne sua vida. Ela se aborrece quando ele lhe diz que hora dormir, ou determina tempo para ela usar o computador e o telefone, ou pelos seus castigos. Ele tenta até mesmo influenciar a maneira como ela gasta seu dinheiro, o qual ela ganha ao fazer as tarefas domésticas. Ela quer que ele "a deixe em paz", o que deixa bem claro para ele cerca de cinco a oito vezes por dia.

Nesse ponto, alguns de vocês podem estar pensando: *Puxa! Maria realmente precisa entregar sua vida para Jesus!* O problema é que ela já fez isso quando tinha 12 anos. Ela foi sincera sobre sua decisão. Ela acredita que irá para o céu, e sua raiva com relação a seu padrasto a faz se sentir culpada e triste. Ela vê esperança para sua vida, mas essa esperança parece muito distante. "Antes de eu conhecer Jesus", ela conta a uma amiga de seu grupo de jovens, "era sem esperança e miserável, agora sou apenas miserável".

Maria sabe que sua atitude está errada. Ela quer mudar. Ela tem passado horas em aconselhamento com seu pastor de jovens e tem até mesmo buscado um conselheiro na escola. Ela ora a respeito de seu conflito todas as noites. Ela se pergunta por que não tem visto qualquer sinal de melhora na situação. "Por que não consigo melhorar?", ela soluçou para si mesma certa noite. "Estou muito cansada de me sentir miserável o tempo inteiro".

A solução para o problema de Maria pode ser encontrada em Romanos 12.2: "E não vos conformeis com este século, mas transformai-vos pela renovação da vossa mente, para que experimenteis qual seja a boa, agradável e perfeita vontade de Deus".

Veja, a mente de Maria está entulhada de fortalezas. Algumas têm estado ali desde a primeira vez em que ela ouviu a palavra *divórcio* em sua casa. Ela sabe que não deveria guardar rancor ou ressentimento pelo seu padrasto, mas ela não consegue removê-los de sua mente.

Maria não consegue controlar seus acessos de raiva, seu espalhafatoso desrespeito pelas regras da casa e suas palavras agressivas, porque ela não consegue controlar os pensamentos por trás dessas atitudes. Ela não consegue remover as fortalezas que o diabo plantou em sua mente.

Satanás tem construído mentiras eficazes. Por meio de todo o processo do divórcio, Maria foi ficando cada vez mais irada com a situação. Mas ela não quis dirigir sua ira a seus pais biológicos porque gostava demais dos dois. Ela não queria pensar que as duas pessoas que ela respeitava tanto pudessem ser responsáveis por uma situação que estava devastando sua vida.

E foi aí que a mentira de Satanás começou: "Você, Maria, é a razão desse divórcio. Eles brigam por sua causa. Você custou muito dinheiro a eles. Eles se preocupam com suas notas. Você faz com que eles fiquem estressados, por isso eles brigam".

E houve outras mentiras também: "Aposto que seus pais nunca se amaram. Sua mãe desejava ter se casado com outra pessoa. Seu pai se sente da mesma forma. Eu aposto que existe infidelidade envolvida nisso".

Como resultado, Maria resolveu duas coisas em sua mente:

1. "Se meu comportamento destruiu um casamento, posso fazê-lo novamente. Se eu tornar a vida de João totalmente miserável, talvez ele vá embora e meus pais verdadeiros possam se reconciliar."
2. "Aposto que João estava interessado em minha mãe quando ela ainda estava casada com papai. Ele é nojento. Ele deveria simplesmente nos deixar sozinhas. Agora, eu lhe darei o que ele merece! Ele desejará nunca ter se aproximado de minha família!"

Imagine todas essas mentiras na mente de Maria, continuamente. Mentiras que aprofundaram o ressentimento de Maria a respeito de João e a obsessão dela em destruir o casamento. Fica claro por que ela não é mais a doce e adorável filha que era? Como Maria pode sair dessa miséria? O que você faria se estivesse no lugar dela?

Desembainhando suas armas

Se vós permanecerdes na minha palavra [vos mantiverdes nos meus ensinos e viverdes de acordo com eles], sois verdadeiramente meus discípulos; e conhecereis a verdade, e a verdade vos libertará.
João 8.31.32

Nesse versículo, Jesus nos diz como podemos pisar na cabeça de Satanás e nos libertar do seu ataque quando ele se aproxima: devemos absorver o conhecimento da verdade de Deus em nossa mente e em nosso coração, renovando nossas mente com a sabedoria e poder da sua Palavra. A Palavra de Deus, a Bíblia, é o nosso arsenal, contendo todas as armas que precisamos para vencer a batalha crucial por nossa mente.

Uma das melhores coisas sobre estar vivo hoje em dia é o número de fontes para alcançar a verdade da Palavra de Deus. Temos sites, música cristã, grupo de jovens, conferências, ministros, rádio e estações de TV, CDs e DVDs de estudos e livros. Esses recursos tornam possível permanecer na Palavra de Deus, e isso significa continuamente absorvê-la e aplicá-la em sua vida.

Ainda precisa de mais armas? Tente louvor e oração. Louvar sempre dá um pontapé em Satanás. Ele simplesmente não pode suportar ouvir-nos louvar. É como as garras de metal de Freddy Krueger pressionando a mente dele. Isso faz o diabo se curvar, tapar seus ouvidos e encolher-se, esperando que isso acabe.

Mas o louvor deve ser real, de coração. Você não pode ir pelas emoções, levantar suas mãos para imitar alguém mais, ou repetir simplesmente as palavras do louvor de forma automática.

A mesma coisa acontece com a oração. Ela tem de ser real. Algumas pessoas recitam a oração do Pai-Nosso da mesma forma que cantam a música do Big Mac. Deus não quer que você cante "qualquer coisa" para Ele. Ele quer palavras que saiam do profundo de seu coração. Ele quer que você seja verdadeiro. E Ele quer orações inspiradas em seu relacionamento íntimo com Ele.

Você deve aproximar-se de Deus em oração como seu Pai amado. Ele ama muito você. Ele é cheio de misericórdia e deseja ajudá-lo. Pense sobre isso: algumas pessoas podem ajudar você por obrigação ou para que você as ajude algum dia. Deus, não. Ele realmente quer ajudar você. Ele ama absolutamente cada oportunidade de ajudá-lo.

Em seguida, conheça Jesus. Se você tem uma dessas bíblias que marcam com letra vermelha tudo o que Jesus disse, você descobrirá que Jesus é seu verdadeiro e sábio amigo. Jesus o ama tanto que Ele até morreu por você.

Finalmente conheça o Espírito Santo de Deus que vive dentro de você (e se você não estiver certo de que o Espírito de Deus é parte do seu ser interior, tudo o que precisa fazer é pedir. Fazer isso agora mesmo será legal).

O Espírito de Deus pode ajudá-lo a orar mesmo quando você não consegue encontrar as palavras certas ou mesmo qualquer palavra. O Espírito pode traduzir os profundos sentimentos da sua alma, sentimentos que você não consegue colocar em palavras ou até mesmo descrever e levá-los a Deus, o Pai. Ter o Espírito Santo habitando em você é como ter seu próprio intérprete pessoal de oração.

Se você gostaria de alguma inspiração ou instrução adicionais para orar, a Bíblia está cheia delas. Veja os Salmos, por exemplo. Esse livro da Bíblia fornece muitas orações, desde louvores vindos do coração até angustiados pedidos de ajuda, ou confissões bastante francas do pecado.

Maria precisa usar essas armas. À medida que ela se aproximar de Deus em oração, ela será capaz de demolir todas as fortalezas em sua mente. A verdade da Palavra de Deus e a realidade do seu poder a libertarão.

Ela conhecerá a verdade: seu padrasto está fazendo o melhor que ele pode para ser um bom pai para ela e um bom marido para sua mãe. Viver numa família reagrupada não é fácil, e todos precisam mostrar misericórdia, compreensão, e compaixão pelos outros. Esses acessos de raiva e desobediência não são a forma de trazer qualquer mudança positiva.

João tem um problema: "Minha enteada não me dá uma chance!"

Agora vamos observar outro lado do drama dessa família. Simplesmente porque João é um adulto não significa que ele não seja parte de um problema.

João sabe que precisa assumir a posição de liderança em sua família, mas Maria está acabando com ele. Ele está cansado das brigas barulhentas, portas batendo e olhares gelados. Está ficando cansado de estabelecer limites que Maria não respeitará mesmo. Ultimamente, ele simplesmente vem para casa do trabalho, liga a TV num canal de esportes e fica entorpecido com os programas.

João está se escondendo da sua responsabilidade porque, de coração, ele odeia confronto, especialmente quando nada parece funcionar. Ele tem dito a si mesmo: *Bem, se simplesmente eu me afastar de Maria por um tempo, nossos problemas cuidarão de si mesmos. Com o tempo, ela irá me aceitar. Certamente, eu irei orar sobre isso, mas, além disso, o que eu poderia fazer?*

Você conseguiu observar a última parte? João está desculpando-se por não tomar uma atitude real e está usando a oração com desculpa. Agora, você já leu que a oração é uma grande arma para combater Satanás, mas não funcionará se for usada como uma desculpa para fugir das responsabilidades. Se você utilizar mal a oração dessa forma, permitirá que Satanás use uma das suas armas contra você mesmo!

Nesse ponto da história de João e Maria, gostaria de esclarecer o que quero dizer ao afirmar que João deveria assumir sua posição dada por Deus no lar. Não quero dizer que ele deveria tentar ser o mandão, gritando como um sargento desses que aparecem na TV. A Bíblia ensina que o homem deve amar sua família da mesma forma que Cristo ama o seu povo, a Igreja. E Cristo foi um líder efetivo, mas Ele também foi um servo humilde. Ele colocava as necessidades dos outros acima do seu próprio conforto.

Mas, como Cristo, João precisa assumir uma responsabilidade firme e amorosa por sua família, até mesmo com Maria. Ele deveria assegurar-lhe que, embora o divórcio tenha sido doloroso, ela pode atirar-se nos braços amorosos de Deus e confiar que seu padrasto está fazendo o melhor para ser um pai amoroso e responsável por ela. João também precisa assegurar a ela que ele não teve nada a ver com o divórcio, que ele chegou bastante depois do fato ter acontecido e está simplesmente tentando ser o melhor marido e pai que consegue ser.

A tarefa de João não é fácil. Como Maria, ele também tem um território em sua mente que foi ocupado pelo inimigo. João foi verbalmente abusado quando criança. Sua mãe dominadora tinha a língua afiada e, freqüentemente, dizia coisas como: "João, você só sabe fazer confusão! Como você espera conseguir um bom trabalho e ser um bom marido e pai, desse jeito? Você é um fracasso, e nunca será nada na vida"!

João tentou arduamente agradar à sua mãe, porque ele desejava a aprovação dela. Mas quanto mais ele tentava, mais erros cometia. Ele não era muito jeitoso com as coisas, e sua mãe vivia lhe dizendo quão desajeitado ele era. E como você pode deduzir, assim ele fazia mais coisas erradas porque ele ficava mais nervoso, especialmente perto dela.

Sua falta de jeito e sua pobre auto-estima dificultaram-lhe fazer amigos. Então, no 2º Grau, houve uma garota de quem ele realmente gostou. Eles tiveram alguns encontros, mas ela terminou trocando João por outro moço, que parecia brilhar com confiança e competência.

Cada rejeição, cada palavra dura e cada desapontamento tornavam-se mais um tijolo na fortaleza satânica na mente de João. Logo, ele não tinha qualquer coragem ou otimismo na vida. Ele tornou-se tímido, quieto e retraído. Ele tentava adaptar-se à vida ao se tornar o mais apagado possível. Ele dizia a si mesmo: *Não adianta dizer às pessoas o que você pensa ou o que você quer, porque elas não vão prestar atenção mesmo. Se você quiser que as pessoas o aceitem, é melhor fazer o que elas querem.*

Certamente, quando ele se tornou pai, a princípio tentou estabelecer sua posição e cumprir suas responsabilidades, mas Maria somente o odiava por isso. Ela o atacava verbalmente, assim como sua mãe costumava fazer. Ele tornou-se temeroso de "perder" Maria, assim como perdeu seus amigos ou a namorada da escola, e assim finalmente ele desistiu. *Ao menos, se eu fizer o que Maria quer*, João raciocinava, *ela irá parar de gritar comigo. Além disso, não vou vencer essa situação de qualquer forma. Assim, por que tornar as coisas piores nesse processo?*

Você pode imaginar como era a vida na casa de João e Maria? Você pode imaginar as lutas? É verdade, em certo momento, a discussão verbal havia parado, mas discórdia nem sempre significa uma guerra aberta. Muitas vezes, a discórdia se revela numa ira oculta num lar. Todos sabem que ela está ali, mas ninguém quer lidar com ela ou mesmo reconhecer sua existência.

A atmosfera desse lar é triste, e o diabo adora isso.

O que você acha que acontecerá à Maria, à sua mãe e ao seu padrasto, três cristãos bem-intencionados envolvidos numa zona de batalha? O que eles farão? Será uma vergonha ver outro casamento fracassado e outra família arruinada...

Eles podem solucionar isso, mas não será por meio de um conselheiro familiar ou do seu pastor. Isso tem a ver com a própria família. Eles precisam tomar a palavra de João 8.31 e 32 em seus corações (Se vós permanecerdes na minha palavra [vos mantiverdes nos meus ensinos e viverdes de acordo com eles], sois verdadeiramente meus discípulos; e conhecereis a verdade, e a verdade vos libertará).

Eles precisarão continuar a estudar a Palavra de Deus para discernir a verdade da Palavra. Eles precisarão agir de acordo com essa verdade para serem libertos de seus padrões destrutivos. Eles terão de confrontar seu passado e perceber porque eles se sentem e reagem da forma que o fazem.

É doloroso enfrentar nosso passado, nossas falhas e, então, lidar com eles. Como regra, as pessoas preferem justificar seu mau comportamento e atitudes negativas. Elas permitem que seu passado, como elas foram criadas, etc., corrompam a vida. Isso não funciona e não é justo com as pessoas que os cercam.

Como alguns de vocês, fui abusada quando era jovem. Fui abusada emocional, verbal e sexualmente. Assim, compreendo que o passado pode explicar *por que* nós sofremos, mas não podemos usar o passado como uma *desculpa* para permanecer na escravidão de forma negativa e derrotada de viver.

Jesus permanece pronto para cumprir a promessa bíblica de libertar você. Ele o levará para a liberdade em qualquer área de sua vida, se você somente desejar segui-lo. Eu sou uma prova viva dessa verdade.

Uma guerra possível de ser vencida

Não vos sobreveio tentação que não fosse humana; mas Deus é fiel e não permitirá que sejais tentados além das vossas forças; pelo contrário, juntamente com a tentação, vos proverá livramento, de sorte que a possais suportar.

1 Corintios 10.13

Espero que esta história de João e Maria lhe mostre como Satanás pode usar as circunstâncias das nossas vidas para construir fortalezas em nossa mente, para invadi-la num nível, numa área, de cada vez.

Graças a Deus temos armas para derrubar cada uma dessas fortalezas. Deus não nos abandonará no calor da batalha. Lembre-se sempre da verdade de 1 Corintios 10.13: Deus não deixará você lutar uma batalha superior às suas forças. Você será capaz de suportar cada tentação que Satanás lançar em seu caminho. Deus sempre proverá uma saída para o problema, uma rota de escape para você.

Não importa que batalha você esteja enfrentando agora ou quais batalhas tenha que enfrentar no futuro, Deus está do seu lado. Isso significa que você não poderá perder.

Afinal, quem você pensa que é?

Porque, como imagina em sua alma, assim ele é;
Provérbios 23.7

Pense sobre as palavras desse versículo; é um dos mais importantes de toda a Bíblia! Eis por que você o verá repetido várias vezes neste livro.

Seus pensamentos são poderosos. Eles não são apenas imagens e atitudes que espreitam sua mente. Eles determinam quem você é e quem você irá se tornar. Sendo assim, pensar da forma certa não deveria ser de suprema importância em sua vida?

Neste capítulo, quero despertar em você a absoluta necessidade de ter sua vida de pensamento em sintonia com a Palavra de Deus. Porque aqui está uma verdade incontestável sobre a vida: você não pode viver uma vida positiva se tiver a mente negativa.

Romanos 8.5 nos alerta: "Porque os que se inclinam para a carne cogitam das coisas da carne; mas os que se inclinam para o Espírito, das coisas do Espírito".

Vou colocar essa verdade de outra forma: se o seu mapa mental está cheio de negativismo, ganância, luxúria, e orgulho, você não será capaz de seguir o caminho que Deus estabeleceu para a jornada da sua vida. Você vai tropeçar pelos barrancos, sobrecarregado de obras mortas e tomará atalhos que o levarão ao desastre.

Você tem visto pessoas ao seu redor cuja vida parece ser uma confusão sem fim? Alguns dos seus amigos se ajustam a essa categoria? Talvez até mesmo seu irmão ou irmã. As pessoas tentam ajudá-los, talvez eles até tentem ajudar a si mesmos, mas não podem fazer qualquer progresso consistente. Isso se deve, provavelmente, ao fato de seus esforços serem bem-intencionados, mas ineficazes. Por exemplo, se alguém é viciado em drogas, as pessoas ao redor dele podem pensar que se pudesse controlar o acesso dele à droga as coisas mudariam. Esse tipo de atitude pode ajudar por um tempo, mas viciados são astutos e espertos. Se eles realmente quiserem encontrar as drogas, provavelmente as encontrarão.

A única forma de ajudar verdadeiramente alguém assim é endireitar a sua mente e, então, a sua vida acompanhará seu pensamento. Você tem de chegar à raiz do problema e não apenas lidar com os resultados visíveis.

Eu lhe darei a prévia de uma entrevista que você lerá posteriormente neste capítulo. A entrevista mostra Terrence, um jovem que anteriormente foi viciado em drogas. Enquanto ele conta como destruiu essa fortaleza particular em sua vida, ele também explica que não deixou simplesmente de usar as drogas. Ele diz: "Eu me tornei uma nova pessoa. Eu me tornei o tipo de pessoa que não usaria drogas".

Ele mudou toda sua forma de pensamento, toda a sua atitude diante da vida das drogas. Eis por que ele é livre de drogas hoje, enquanto muitos outros estão enredados num círculo interminável de libertação, recaída, repetição.

O Senhor imprimiu essa verdade em mim anos atrás, quando lutava para ter um relacionamento pessoal com Ele, por meio da oração, leitura e estudo da Bíblia. Estava tendo uma dificuldade terrível para me disciplinar a fazer essas coisas, até que Deus me mostrou como elas eram importantes para a vida. Ele me mostrou que assim como minha vida física dependia de nutrição, exercício e cuidado médico adequado, o progresso da minha vida espiritual apoiava-se num tempo regular, de alta qualidade, com meu amado Criador.

Ao me ajudar a compreender esse paralelo entre o bem-estar físico e espiritual, Deus me ajudou a dar ao relacionamento com Ele a prioridade máxima em minha vida. Agora tenho uma atitude totalmente diferente sobre manter e crescer em minha vida espiritual. Não ignoro os sintomas da fome física, porque compreendo que comer não é simplesmente uma "rotina" que eu deveria seguir; mas trata-se de algo de que *preciso*. Alimentar-se espiritualmente é vital também. De fato, é *mais* importante do que o físico. Afinal, como se diz, "não somos seres humanos tendo experiência espiritual; somos seres espirituais tendo uma experiência humana".

A guerra contra as drogas: Uma entrevista com alguém que esteve na linha de frente do combate

Leia esta entrevista com Terrence, um jovem ex-viciado em drogas. Note o padrão de pensamento que o levou às drogas e o padrão que o ajudou a escapar delas.

Como você se viciou nas drogas?

Foi como cair num buraco. Aconteceu tão rapidamente que nem mesmo percebi que estava caindo. Num momento, eu estava numa festa, ouvindo uma música com poucos amigos que acabara de conhecer, e no minuto seguinte estava desesperado, fazendo coisas que nunca pensara que pudesse fazer num milhão de anos, tudo pela próxima "viagem". Não havia coisa horrível que eu não fizesse. Em poucas semanas, eu odiava as drogas. Eu odiava ficar alto, mas eu tinha que fazê-lo.

Como era ser viciado em drogas?

Aquilo era como uma armadilha, e eu me sentia bastante estúpido porque eu caminhava para as armadilhas voluntariamente. Eu era um rapaz esperto. Eu conhecia os perigos. Mas escolhi entrar nisso assim mesmo. Eu pensava: *Outros não conseguiram, mas sou esperto. Sou forte. Posso parar. Serei cuidadoso. Serei capaz de controlar isso.* Então, tão logo comecei a usar, eu sabia que tinha sido pego também.

Assim, você perdeu o controle?

Eu nunca tive realmente o controle desde o momento que escolhi atravessar a linha e me meter nessa confusão da primeira vez. Você não quer ficar apavorado, e então diz a si mesmo: *Isso é legal. Isso não é tão ruim. Eu simplesmente sou como todas essas outras pessoas.* Mas a verdade é que você está morrendo e sabe disso dez segundos após ter começado. E nove segundos depois de ter começado já é tarde demais!

Como você parou de usar as drogas?

Eu não parei simplesmente de usar as drogas. Eu me tornei uma nova pessoa. Ainda estou me tornando essa pessoa cada dia, realmente, e não posso parar de correr na direção oposta das drogas, ou isso poderia me pegar novamente. Deus tem me ajudado bastante a mudar totalmente minha identidade. Eu dizia que era cristão antes de entrar nas drogas, mas não vivia isso. Eu não era uma nova criação. Eu diria a alguém: se você tem um vício ou um mau hábito, não pare simplesmente tal comportamento; mude totalmente sua identidade. Torne-se outra pessoa, alguém que nunca faria as coisas destrutivas que você está fazendo. Mude de amigos se eles são viciados em drogas. Eu fiz isso. Mudei de trabalho, de moradia, de hábitos; mudei meu pensamento, a maneira como eu converso e me visto. Tudo que alimentava meus velhos caminhos.

O que você diria aos leitores que estão pensando em experimentar ou tentar as drogas "apenas uma vez".

Eu pensava que apenas uma única vez não faria mal. Esta única vez custou milhares de dólares desperdiçados, uma internação, quase a morte e anos de pesar. Uma única vez não faria mal? Tenho apenas uma palavra para expressar minha opinião: *Ai!*

Seu fruto é maduro?

No evangelho de Mateus, Jesus explicou que uma árvore é conhecida pelos seus frutos. Uma árvore doentia dará um fruto ruim. Uma árvore ainda não madura ou mal nutrida não produzirá qualquer fruto.

O mesmo princípio é verdade em nossa vida. Pensamentos produzem frutos. Tenha pensamentos bons e o fruto de sua vida será bom. Tenha maus pensamentos e o fruto de sua vida será ruim.

Você pode notar a atitude e a conduta de alguém diante da vida e saber que tipo de pensamento está por trás disso. Uma pessoa doce e amável não será cheia de pensamentos mesquinhos e vingativos. Da mesma forma, uma pessoa verdadeiramente má não passará seu tempo tendo pensamentos puros e amorosos.

Memorize Provérbios 23.7; talvez em uma ou mais versões bíblicas. Uma das minhas favoritas vem da *New American Standard Bible* e diz: "Pois assim como ele pensa dentro de si mesmo, assim ele é". Mas seja qual for sua versão bíblica preferida, decore essa mensagem e deixe que ela seja o lema da sua vida. Assim como você pensa em seu coração, assim você será. Em outras palavras, veja, e então seja.

Perseverança = Recompensa

E não nos cansemos de fazer o bem, porque a seu tempo ceifaremos, se não desfalecermos.

Gálatas 6.9

Agora mesmo você pode estar pensando que sua vida é uma droga. Você pode estar se sentindo solitário, tendo conflitos na escola, sentindo-se rejeitado por seus pais e amigos. Talvez, como eu, você seja vítima do abuso de alguém (como meu pai) em quem você pensava que podia confiar e você não sabe como lidar com seus sentimentos de culpa, traição e indignidade. Estou aqui para lhe dizer uma coisa: Não desista!

Não importa quanto sua vida esteja confusa e fora de controle, você pode recuperar o terreno que o diabo roubou de você. Você pode ter que fazê-lo um centímetro cadar vez, mas, ao apoiar-se na graça e no poder de Deus em cada passo do caminho, você poderá ter uma vida além dos seus melhores sonhos.

É isso que o apóstolo Paulo está dizendo no versículo no início deste capítulo: mantenha-se prosseguindo! Não desista! E Paulo tinha o direito de dizer essas palavras. Muitas vezes ele foi preso. Ele sobreviveu a espancamentos brutais. Ele também sobreviveu a um naufrágio e à picada de uma cobra venenosa. Além de tudo, ele tinha algum tipo de condição física que o atormentava tanto que ele pediu a Deus três vezes para removê-la. Assim, não se trata de uma pessoa covarde suplicando que você persevere. Esse era um verdadeiro herói.

O que ajudou Paulo em seus desafios e o que ajudará você também é apoiar-se na força de Deus. No livro de Isaías, Deus promete: "Quando passares pelas águas, eu serei contigo; quando, pelos rios, eles não te submergirão; quando passares pelo fogo, não te queimarás, nem a chama arderá em ti" (Isaías 43.2).

Seja o que for que você esteja enfrentando, Deus estará com você, amando-o, ouvindo-o e encorajando-o, dando-lhe força espiritual para perseverar.

A escolha é sua

Você certamente, já ouviu a expressão "um centavo pelo seu pensamento".

Bem, se alguém realmente lhe fizer essa oferta, você deveria aceitá-la. Você ficaria rico rapidamente. Nas próximas 24 horas, sua mente, possivelmente, gerará cerca de 50 mil pensamentos, freqüentemente ao mesmo tempo. Assim, um dia de pensamentos poderia lhe dar 500 reais!

O problema é que muitos desses pensamentos não são dignos nem mesmo de um centavo. Hoje, se nós não formos cuidadosos, nossos pensamentos podem ser contaminados com imagens nocivas da internet e da TV, propagandas prejudiciais e conversas impróprias de celebridades. Há tanta informação ruim bombardeando você 24 horas por dia que precisaria pouco ou nenhum esforço para ter o tipo errado de pensamentos. É como o modo padrão do computador. Ninguém diz: "Ai, estou cansado, assim criarei alguns maus pensamentos em minha mente é me divertirei um pouco com eles". Com tantas ferramentas que Satanás tem à sua disposição, tudo o que você tem de fazer é sentar-se passivamente e, imediatamente, algo ruim visitará sua mente. Você não tem de fazer qualquer esforço para ter coisas ruins em sua mente; elas chegarão até você.

Por outro lado, pensamentos bons e corretos exigem esforços. Você tem de *decidir* pensar da forma de Deus e, então, continuar a escolher pensamentos certos todo dia e toda noite. Lembra-se da entrevista com Terrence, o ex-viciado em drogas? Ele disse que o processo de "tornar-se uma nova pessoa" era algo que ele trabalhava a cada dia.

Pense nisso dessa forma: se você quer ficar fora de forma fisicamente, realmente não *terá* de *fazer* nada. Basta sentar-se e comer todo o tipo de bobagens que estiver por perto, e logo você se tornará um saco de gordura.

Mas ser saudável e forte exige esforços vigilantes. Você deve pensar sobre o que irá comer e sobre o que evitar. Você tem de fazer escolhas inteligentes com relação à comida em cada refeição e em cada lanche. Você não pode permitir-se cair em hábitos alimentares descuidados. E você tem de se disciplinar para exercitar-se, fazendo disso uma prioridade em sua vida. Você terá de fazer coisas que talvez não gostasse de estar fazendo.

Sua mente merece esse mesmo tipo de atenção. De fato, ela merece muito mais atenção. Você enfrentará muitas escolhas em sua vida. Deus quer que você faça escolhas certas, e isso começa em sua mente.

Seus pensamentos tornam-se suas palavras; seus pensamentos tornam-se suas ações. Seus pensamentos tornam-se sua vida. Assim, escolha pensamentos afirmadores de vida; geradores de vida. Quando você o faz, palavras e ações positivas seguirão seus pensamentos. Viva sua vida esperando o melhor e não temendo o pior. E lembre-se que você não está sozinho. Mantenha-se dizendo a si mesmo: "Eu não desistirei porque Deus está do meu lado. Ele me ama e sempre me ajudará". Lembre-se para sempre desta promessa da Bíblia: "Porque os olhos do Senhor repousam sobre os justos, e os seus ouvidos estão abertos às suas súplicas" (1 Pedro 3.12).

Não desista: uma mente não é construída apenas num dia

Enquanto você luta para perseverar em pensar e agir da forma certa, talvez possa se sentir desencorajado algumas vezes. Isso não seria uma surpresa. Lembre-se: você está tentando reprogramar uma mente que tem sido corrompida por todos os tipos de "vírus" e "vermes" mundanos.

Você terá de lançar algumas coisas na lixeira. Você terá de ser paciente. E uma vez que as coisas sejam consertadas, você terá de aprender novos comandos e ter um pouco de precaução extra.

Mas anime-se, você tem Deus, o supremo especialista em informática do seu lado. Ele pode reprogramar seu disco rígido mental, remover os vírus e instalar programas de segurança para protegê-lo no futuro. Algumas vezes esse processo exige tempo, mas lhe garanto isto: vale a pena.

O poder do positivo

A vida não é fácil, mas é simples. Mentes positivas produzem vidas positivas. Mentes negativas produzem vidas negativas. E mentes positivas são sempre cheias de fé e esperança, enquanto mentes negativas são cheias de medo e dúvida.

Você tem medo de ter esperança? Você tem medo de imaginar quantas coisas legais podem acontecer em sua vida porque você não quer enfrentar o desapontamento de ver essas esperanças se frustrarem? Há muitas pessoas que se sentem assim. Elas foram desapontadas tantas vezes que não querem abrir-se para outra ferida. Elas levam sua vida numa posição de defesa o tempo inteiro. Seu foco é proteger-se, proteger-se, proteger-se.

É compreensível que as pessoas queiram evitar o sofrimento do desapontamento, mas vamos voltar ao nosso versículo-chave, Provérbios 23.7: "Porque, como [uma pessoa] imagina em sua alma, assim ele é".

Quero confessar algo a você: anos atrás eu era uma pessoa extremamente negativa. Se você tem me assistido na TV ou ouvido minhas pregações, pode achar difícil acreditar nisso, mas é verdade. Eu costumava dizer, "Se eu pensasse duas coisas positivas em seguida, meu cérebro entraria em colapso". Essa era a minha filosofia de vida: "Se você não esperar por algo bom, não ficará desapontado se isso não acontecer".

Como você pode imaginar, sou "osso duro de roer".

Eu pensava que minha maneira de agir se devia ao fato de ter enfrentado muitos desapontamentos na vida, incluindo ser abusada e não conseguir cursar uma faculdade. Esses desapontamentos influenciaram totalmente minha visão da vida. Meus pensamentos eram negativos; minhas palavras eram negativas. Toda minha vida era negativa.

Para tentar sair da areia movediça do negativismo, comecei a estudar seriamente a Palavra de Deus. Eu orava para que Deus me restaurasse, restaurasse minha alma. À medida que eu fazia esses esforços, percebi que minha atitude negativa diante da vida desaparecera.

Eu me baseei em versículos como Mateus 8.13 no qual Jesus nos diz que, assim como nós pensamos e cremos, será feito: "Seja feito conforme a vossa fé". Isso faz sentido. Cada crença que eu tinha era negativa, e assim não era de admirar que coisas negativas acontecessem para mim o tempo inteiro.

Agora, é importante destacar que Jesus não está dizendo que você pode obter tudo o que quiser apenas ao pensar nisso. Deus é seu Senhor, e não seu "gênio da lâmpada" pessoal. Mas Ele tem um plano perfeito para você, e esse plano não é para você passar por sua vida deprimido e desencorajado. Jesus proclamou, "Eu vim para que tenham vida, e a tenham em abundância" (João 10.10).

Se você ainda não tem uma visão do que Deus quer que você faça com sua vida, tudo bem. Ore a Ele sobre isso. Diga-lhe: "Deus, não sei qual é o seu plano para mim, mas sei que o Senhor me ama e que tudo que o Senhor fizer com minha vida, será bom. Por favor, leve-me à vida em abundância que sei que o Senhor quer que eu tenha".

Então, pratique ser positivo em cada situação que surgir em sua vida. Isso não será fácil, porque nem tudo o que acontecer com você será positivo; nem tudo será bom. Mas você pode esperar que Deus traga o bem mesmo em circunstâncias ruins. Ele pode trazer alegria mesmo mediante circunstâncias tristes.

Agora, sei que esta frase que diz "quando a vida lhe der limões, faça uma limonada" pode parecer boa na teoria. Mas isso funciona na vida real? Realmente Deus pode fazer todas as coisas operarem para o bem, como Ele promete Romanos 8.28?

A resposta é sim. E aqui está apenas um exemplo, do violento mundo do boxe.

Gene Tunney foi um grande de boxeador peso-pesado, com um soco mortal em ambas as mãos. Infelizmente, após muitos *rounds* golpeando seus oponentes, os pulsos de Tunney foram danificados. Ele quebrou tantos ossos nas mãos que sua carreira parecia ter terminado. Muitos lutadores teriam desistido se estivessem no lugar de Tunney ou em suas lutas, no caso.

Mas Tunney não desistiu. Ele permaneceu positivo. Ele reprogramou toda a sua tática desse esporte. Ele mudou seu estilo de um boxeador golpeador para alguém com uma tática tecnicamente precisa e especializou-se em golpes bem metódicos e planejados, ao invés de em socos arrasadores. O novo estilo técnico de Tunney ajudou-o bastante. Ele, finalmente, ganhou o título mundial numa luta contra Jack Dempsey, o "Triturador", o mais temido peso pesado da sua época.

Tunney derrotou Dempsey duas vezes. Homem experiente, Dempsey foi vencido pelo estilo cuidadoso e calculado de Tunney. Se Tunney tivesse tentado lutar com seu estilo anterior, ele teria fracassado. Ele não conseguiria ter se mantido e dado um nocaute em Dempsey. Assim, a aparente tragédia de Tunney tornou-se exatamente aquilo que o ajudou a realizar seu sonho.

Você pode conhecer talvez a saga de Lance Armstrong que venceu um câncer ameaçador de sua vida para tornar-se o grande ciclista da sua geração. Ele ficou famoso ao dizer: "O câncer foi a melhor coisa que aconteceu comigo". Ele disse que nunca teria se tornado um múltiplo vencedor do *Tour de France* (Circuito da França) sem a perspectiva e perseverança que aprendeu enquanto batalhava contra o câncer.

Como Tunney e Armstrong, você pode ajustar-se ao que a vida tentar fazer *de* ou *em* você. Você não tem de ficar desolado quando as coisas não acontecerem da forma que você esperava. Confie em Deus para operar o bem em suas circunstâncias. Você simplesmente pode descobrir que seus resultados finais serão muito melhores do que você estava esperando!

Uma palavra final neste assunto: se você tende a ser uma pessoa negativa, não se sinta mal por isso. Não se sinta condenado. Porque a condenação em si mesma é negativa. Não há nada pior do que se sentir negativo sobre seu negativismo, além de tudo o que você já está enfrentando. Simplesmente reconheça o problema e comece a confiar em Deus para restaurar sua vida, para lhe mostrar a saída desse túnel escuro.

Um novo dia!

Portanto se alguém que está [enxertado] em Cristo (o Messias) é uma nova criação (completamente uma nova criatura); a velha [antiga condição moral e espiritual] já passou. Eis que o novo e fresco chegou.

2 Coríntios 5.17

Mesmo que você tenha sido uma pessoa negativa no passado, não precisa permanecer negativo. Se você crê em Cristo, você é uma nova pessoa, uma nova criação. Você não tem de deixar que as coisas que lhe aconteceram no passado o deixem deprimido. Você pode ter um tipo de vida totalmente novo. Pode ter sua mente renovada pelo poder e pela sabedoria da Palavra de Deus. Assim, anime-se! Boas coisas estão prestes a acontecer com você.

Uma das coisas mais difíceis sobre libertar-se da prisão do negativismo é enfrentar a verdade: "Eu tenho sido uma pessoa negativa, mas quero mudar. Não tenho poder de mudar a mim mesmo, mas creio que Deus me dará capacidade à medida que eu confiar nele. Isso levará tempo, mas não me desencorajarei. Deus tem começado uma boa obra na minha vida, e Ele será capaz de completá-la" (veja Filipenses 1.6).

O Espírito Santo de Deus vivendo dentro de você é a chave para completar a boa obra em sua vida. Se você desejar ouvir e estar espiritualmente consciente, o Espírito Santo o alertará cada vez que você começar a voltar ao negativismo, assim como o sinal de "vazio" em seu carro avisa que o tanque de combustível está ficando seco. Atente para o alerta. Peça ajuda a Deus. Não pense que você pode lidar com isso sozinho. Peça a Deus que encha seu tanque.

Aqui está algo interessante que acontecerá enquanto você deixar Deus transformar seu "eu" negativo numa versão mais positiva: você notará o negativismo em outras pessoas e não gostará disso. Você perguntará: *Eu realmente era desse jeito?* É algo assim: eu fumei cigarros por muitos anos antes de finalmente parar, mas, quando parei, não podia suportar a fumaça do cigarro de alguém.

Acontece da mesma forma com relação ao negativismo. Eu era muito negativa. Eu podia caminhar por uma casa nova, linda e perfeitamente decorada e notar uma ponta do papel de parede se soltando, ou uma simples mancha numa janela. Agora não consigo suportar o negativismo. É quase uma ofensa para mim.

É importante notar que ser positivo não é igual a ser irrealista, com um sorriso tolo estampado em nossas faces o tempo inteiro. Se você tem um resfriado, não diga: "Não estou sentindo nada" ou, "Realmente eu gosto de sentir febre e passar mal o tempo inteiro. É muito divertido!"

Não negue a realidade, mas seja positivo. Diga: "Creio que Deus irá me curar, essa coisa chata não permanecerá por muito tempo". Isso é melhor do que: "Nunca ficarei bom. De fato, provavelmente, vou piorar e acabar no hospital".

Em outras palavras, tenha equilíbrio na vida. Tenha a "mente aberta", aquela que está preparada para manter a vida na perspectiva certa e lidar efetivamente com o que acontecer.

Você já ouviu a frase "mente aberta" antes? Ela está no livro de Atos, capítulo 17 (ASV), que fala sobre um grupo de pessoas que recebeu a informação com a "mente aberta". Isso significa ter nossa mente aberta à vontade de Deus para nós, não importa qual seja.

Você já experimentou a dor do final de um relacionamento sentimental? Recentemente, uma jovem que conheço enfrentou a dor de um relacionamento quebrado. Após ter terminado com seu namoro, ela e seu ex-namorado começaram a orar para saber se Deus desejava que eles continuassem se encontrando, embora o casamento não pudesse acontecer num futuro imediato.

A jovem queria que o relacionamento continuasse, e ela sinceramente esperava e cria que seu namorado sentiria a mesma coisa.

Então eu a aconselhei: "Tenha uma mente aberta, no caso de as coisas não acontecerem da forma que você deseja".

Ela argumentou: "Mas isso não seria ser negativo"?

Não, não é o caso. Negativismo seria pensar, *Meu namoro terminou, e minha vida também. Ninguém mais desejará namorar comigo. Eu não sou alguém amável, sou um fracasso no amor. Eu me pergunto se terminarei sendo uma pobre velhinha morando com trinta gatos!*

Ter a mente aberta e positiva, por outro lado, produziria essa atitude: "Estou verdadeiramente triste por esse namoro ter acabado, mas confio em Deus para me ajudar a lidar com a situação. Espero que meu namorado e eu ainda possamos nos encontrar. Vou orar por isso e acreditar que nosso relacionamento será restaurado. Mas, mais do que qualquer coisa, quero a perfeita vontade de Deus para minha vida. Se as coisas não acontecerem do jeito que espero, sobreviverei porque Jesus vive em mim. Lidar com essa situação pode ser difícil por um tempo, mas confio no Senhor de que tudo cooperará para o meu bem no final".

Eis como você enfrenta os fatos e permanece positivo.

Isso é equilíbrio.

O poder da esperança

Meu marido Dave e eu acreditamos que o ministério Joyce Meyer e a obra que fazemos crescerão sempre. Queremos sempre ajudar mais e mais pessoas, mas também percebemos que se Deus tiver um plano diferente não podemos deixar a situação roubar nossa alegria.

Em outras palavras, esperamos muitas coisas, mas mais importante do que todas as coisas *pelas quais* esperamos é o Deus *em Quem* esperamos. Não sabemos se nosso ministério continuará a crescer a um novo nível ou mesmo se diminuirá em tamanho e abrangência. Mas sabemos que, seja qual for o caso, Deus sempre fará as coisas cooperarem para nosso bem.

Vocês podem estar dizendo nesse ponto: "Certo, Joyce, mas se você conhecesse minha situação, não esperaria que eu fosse positivo".

Se você se sente assim, quero compartilhar uma história com você. Volte para época do Antigo Testamento, quando Deus prometeu a um homem chamado Abraão que ele seria o Pai de muitas nações. Que seus descendentes seriam tantos que você não conseguiria contá-los.

Havia somente um problema: Abraão tinha quase 100 anos de idade naquela época, e sua esposa Sara era idosa também, tendo passado da idade de poder ter filhos. A Bíblia relata que o ventre dela estava "morto" (Rm 4.19-NKJV).

Assim, Abraão avaliou sua situação. Ele era um velho casado com uma velha, e todos esses remédios contra impotência que existem hoje em dia não tinham sido inventados ainda. Não havia bebês de proveta no tempo de Abraão. Não havia qualquer proveta e ponto final. A razão humana diria que a situação era impossível, mas a Bíblia diz que o velho Abraão não duvidou ou desconfiou da promessa de Deus. Ele simplesmente permaneceu crendo. Ele deixou a situação nas mãos de Deus, percebendo que, humanamente, ele não tinha razão para qualquer otimismo. Assim, ele entregou tudo ao reino dos milagres de Deus.

Qual é a lição para você? Quando as coisas parecem possíveis, não descarte a idéia de que Deus algumas vezes entrará em cena e fará algo maravilhoso. Você não precisa esperar milagres o tempo inteiro, mas é correto você esperar por eles quando Deus lhe diz para fazê-lo. Milagres acontecem para aqueles que realmente crêem.

Isaías 30.18 é um dos meus versículos favoritos: "Por isso, o Senhor espera para ser gracioso convosco, Ele se levanta para lhes mostrar a sua compaixão" (NKJV).

Medite nessas palavras e elas lhe darão grande esperança. Deus está buscando por alguém a quem Ele possa ser gracioso. Ele quer mostrar sua bondade, mas alguém como uma atitude carrancuda e desanimada não experimentará esta bênção.

Não deixe satanás aprisionar sua mente

É tempo de confissão novamente: num certo ponto da minha vida cristã, comecei a ter dificuldades em crer em certas coisas. Comecei a questionar se o que eu estava fazendo com minha vida e ministério era realmente o que Deus queria que eu fizesse. Eu me sentia como se estivesse perdendo a visão que Deus tinha me dado para o ministério Joyce Meyer. Como resultado, comecei a me sentir miserável. A dúvida e a falta de fé sempre produzem miséria.

Então, por dois dias seguidos, uma frase veio a mim: *espíritos aprisionadores da mente*. Da primeira vez que essa frase surgiu em minha mente, não dei muita atenção, mas as palavras voltavam a cada momento.

Pensei sobre todas as artimanhas e estratégias que Satanás usa contra os crentes para confundir, obscurecer e poluir a mente deles. Assim, comecei a orar pela derrota desses espíritos aprisionadores em minha própria vida e em todo o corpo de Cristo. Após alguns minutos orando, senti um grande alívio, como se tivesse sido resgatada de um ataque em minha mente. Foi uma sensação impressionante e sou grata pelo sentimento de libertação que Deus me deu.

Agora, você pode estar se perguntando: "O que afinal seriam 'espíritos aprisionadores da mente'? Isso soa como um filme de ficção".

Pense nesse conceito da seguinte forma: espíritos aprisionadores da mente são como pequenas sementes que Satanás planta em sua mente. Com o tempo, essas sementes se transformam em ervas-daninhas, ervas de dúvida, insegurança, incredulidade e cinismo. Elas poluem e confundem o panorama da sua mente. Elas provocam tumulto em sua mente, oprimindo-a e irritando-a. Você começa a se sentir miserável.

Se você sente esse tipo de ervas-daninhas brotando e crescendo em sua mente, é tempo de utilizar sua foice espiritual, ao crer e confessar a Palavra de Deus. Em João 8, Jesus prometeu: "Se vós permanecerdes na minha palavra [vos mantiverdes nos meus ensinos e viverdes de acordo com eles], sois verdadeiramente meus discípulos; e conhecereis a verdade, e a verdade vos libertará" (João 8.31.32)

Em outras palavras, a Palavra do Senhor pode tornar sua mente livre dessas ervas-daninhas. Foi isso que ela fez por mim. Antes de Satanás começar a colocar minha mente numa prisão, eu acreditava que muito embora fosse uma mulher de Fenton, Missouri, que não tinha uma carreira muito brilhante, Deus ainda poderia me usar para fazer algo bom no mundo. Ele abriria portas para mim, e eu pregaria pelo mundo inteiro, compartilhando mensagens práticas e libertadoras que Ele me daria. Eu também acreditava que teria um ministério na rádio, que Deus me usaria para curar o doente e que Dave e meus filhos seriam usados no ministério também. Eu acreditava em todas essas coisas e muitas outras coisas maravilhosas que Deus colocara em meu coração.

Então, o ataque satânico chegou. Após um tempo, eu parecia não acreditar muito em coisa alguma. Comecei a dizer a mim mesma: *Provavelmente, aquelas coisas eram apenas sonhos sobre um ministério. Provavelmente nunca acontecerão.*

Mas, após orar, esses espíritos, essas ervas-daninhas, desapareceram. E uma vez que eles se foram, a habilidade de crer no melhor para minha vida e para meu ministério voltou rapidamente.

Decida crer

Algumas pessoas, quando ouvem a palavra *crer*, associam-na a emoção. Mas embora a fé possa carregar emoções consigo, ela é mais do que um sentimento. A fé é uma decisão, um ato da vontade. Crer é perseverar e seguir o plano de Deus mesmo quando nossas emoções estão despedaçadas, mesmo quando falta compreensão em nossas mentes. A fé vai além da compreensão. É seguir a convicção do seu coração, mesmo que sua mente esteja lenta em acompanhar ou questionar as coisas. É importante compreender essa definição verdadeira da fé, porque a nossa mente, freqüentemente, se recusa a crer naquilo que não pode compreender.

Note que pelo fato de os caminhos de Deus serem mais altos do que os nossos e Sua compreensão muito maior do que a nossa, é crucial crer naquilo que a Palavra dEle diz, mesmo que não compreendamos plenamente todos os *porquês*, os *quandos* e os *comos*. Se você está lendo este livro à noite, observe as luzes ao seu redor. Você compreende todas as implicâncias da eletricidade e dos circuitos que criaram essas luzes? Provavelmente, não. Mas você desfruta os benefícios da iluminação mesmo assim.

Pense novamente na história de Abraão. Se ele olhasse apenas para as realidades físicas, os fatos frios e duros da medicina, ele não veria razão para crer na promessa de Deus para sua vida. Mas ele creu em Deus apesar de tudo, e sua fé foi ricamente recompensada: ele é o pai de toda a nação judaica. Seja pessoalmente ou por intermédio da mídia, você, provavelmente, vê alguns descendentes de Abraão quase todos os dias.

O diabo tem muitas sementes que quer plantar em sua mente. Mas você tem o poder, pela fé na Palavra, no amor e no poder de Deus, para arrancá-las ou até mesmo impedi-las de criar raízes em sua vida.

Verdadeiro ou Falso

Responda o teste a seguir:
1. A maioria dos adolescentes que bebem age assim de forma bastante responsável.
2. Entre adolescentes, aqueles que são virgens ainda representam a grande maioria.
3. A TV e outras formas de entretenimento têm pouco ou nenhum efeito no comportamento sexual.
4. Um significativo número de garotos já tem relações sexuais aos 13 anos.
5. Não é incomum adolescentes terem até quatro cartões de crédito nos Estados Unidos.
6. Preservativos constituem uma forma eficiente de impedir a gravidez e as doenças sexualmente transmissíveis.
7. Hoje adolescentes e jovens estão muito preocupados com as doenças sexualmente transmissíveis.
8. A maioria dos jovens sexualmente ativos leva preservativos consigo.
9. Os comentários sobre os perigos da maconha são exagerados. Ela realmente não é tão ruim.
10. Se você tem menos de 14 anos, é ilegal manter relacionamento sexual.
11. Você não pode adquirir uma doença sexualmente transmissível a menos que você tenha relação sexual.
12. A maioria das mulheres sexualmente ativas não tem doenças sexualmente transmissíveis.
13. Pais constituem a maior fonte por meio das quais os adolescentes obtêm bebidas alcoólicas.

Respostas do teste:

1. Falso. Quase 50% das pessoas abaixo dos 21 anos que bebem álcool, embebedam-se, o que significa que elas consomem cinco ou mais drinques num período de 4 horas.[1]

2. Falso. Metade dos alunos entre a 8ª série até a conclusão do 2º Grau já tiveram relação sexual.[2]

3. Falso. Adolescentes que assistem a muito sexo na TV representam mais do que o dobro daqueles que provavelmente terão sexo em comparação com aqueles cuja programação sobre sexo é restrita.[3]

4. Verdadeiro. De acordo com o Centro para Controle e Prevenção de Doenças dos Estados Unidos, no último estudo sobre o comportamento de risco entre os jovens, 7,4% de garotas tiveram relação sexual por volta dos 13 anos.[4]

5. Verdadeiro. Quase 20% de jovens de 18 anos têm quatro ou mais cartões de crédito, com média de US$ 3.000 a US$ 7.000.[5]

6. Falso. Por exemplo, metade das pessoas que visitaram uma clínica de doenças sexualmente transmissíveis em Colorado relatou problemas com preservativos, tais como deslizamento, rompimento e uso inadequado. Além disso, somente 46% dos jovens adultos sexualmente ativos "sempre", ou mesmo "frequentemente", usam preservativos durante a atividade sexual e somente 36% dizem que sempre recusam sexo se seus parceiros se recusarem a usar preservativo.[6]

7. Falso. 44% dos jovens sexualmente ativos não se preocupam com o fato de contraírem doenças sexualmente transmissíveis (49% de homens e 39% de mulheres).[7]

8. Falso. Enquanto 77% de jovens (homens e mulheres) sexualmente ativos dizem ser interessante carregar preservativos, somente 23% dizem que sempre dispõem deles.[8]

9. Falso. Jovens que usam maconha semanalmente têm o dobro de riscos de sofrer de depressão mais tarde e têm três vezes maior chance de pensamentos suicidas em comparação com as pessoas que não usam maconha. Um fator adicional nesses riscos é que hoje a maconha é duas vezes mais potente do que nas gerações anteriores, e hoje adolescentes estão começando a usar a droga cada vez mais cedo, durante os anos cruciais do desenvolvimento do cérebro.[9]

10. Verdade. É ilegal (considerado estupro ou abuso sexual) ter sexo se você ainda não tem 14 anos. E, em alguns casos, há punições para a idade entre 16 a 18 anos.[10]

11. Falso. Você pode obter uma doença sexualmente transmissível por sexo oral, ou mesmo por contato genital através das mãos.[11]

12. Falso. 80% das mulheres sexualmente ativas contraem HPV, um vírus sexualmente transmissível que vive na pele ao redor da vagina, anus ou pênis. Aproximadamente 30 tipos de vírus de alto risco do HPV são transmitidos por contato com a pele infectada e podem causar tumores na vagina e câncer cervical e no colo do útero.[12]

13. Verdadeiro. Uma pesquisa nacional entre 700 adolescentes entre 13 e 18 anos aponta "um dos próprios pais" com seu consentimento e conhecimento, como a fonte número um para fornecer bebidas alcoólicas. "Outra pessoa que não os pais" (também com o conhecimento e consentimento deles) representa a fonte número 4.[13]

Pense no que você está pensando

Meditarei nos teus preceitos e às tuas veredas terei respeito [os caminhos da vida sinalizados pela Tua Lei]

Salmo 119.15

Quais são as regras com relação à internet, à TV e à música em sua casa? Existem controles executados por seus pais em seu computador? Há certos programas de TV ou canais aos quais não é permitido que você assista?

Você ouve "Isso é permitido para sua idade?" todas as vezes que você pede a seus pais para assistir a um filme?

Ou talvez você tenha adotado algumas regras para si mesmo. Talvez você não compre CDs, visite certos sites ou salas de bate-papo que tenham restrições.

Se isso lhe soa familiar, parabéns para você (e para seus pais, também)! Como o conteúdo da mídia tem se tornado progressivamente questionável, mais e mais pessoas estão se tornando mais cuidadosas sobre aquilo a que assistem, o que lêem e ouvem.

Infelizmente, poucas pessoas aplicam esse mesmo tipo de disciplina em sua vida.

A maioria das pessoas deixa qualquer pensamento correr em sua mente e passa um tempo valioso ponderando sobre eles. Alguns pensamentos são inofensivos tais como, *Eu me pergunto qual é o recorde mundial de cachorros quentes que já foram comidos por alguém*. Outros pensamentos podem ser impuros ou maliciosos. Em qualquer caso, pensamentos descuidados nos distraem de pensamentos puros e positivos, pensamentos que levam a uma vida recompensadora, ao invés de uma vida desperdiçada.

O salmista mencionado no início deste capítulo compreendeu o conceito de "pensar no que você está pensando". Ele disse que pensava e meditava nos caminhos de Deus. Isso significa que ele passava bastante tempo ponderando sobre o caráter e nas regras de Deus para viver.

Meditar na Palavra de Deus tem suas recompensas. A Bíblia promete que a pessoa que segue essa prática é como uma árvore firmemente plantada e próxima às correntes de águas. Uma árvore que produz bons frutos e prospera. Esse tipo de pessoa, a Bíblia promete, será abençoada.

O evangelho de Marcos coloca o assunto de outra forma: "Atentai no que ouvis. Com a medida [de pensamento e estudos] com que tiverdes medido [ouvido à verdade] vos medirão também [será a medida de virtude e conhecimento que virá sobre vós], e ainda se vos acrescentará" (Marcos 4.24). Em outras palavras, quanto mais tempo passarmos pensando sobre a Palavra que lemos e ouvimos, mais poder teremos para viver nossa fé. Você obterá da Palavra de Deus o que você investir nela.

Por exemplo, você, provavelmente, já ouviu sermões ou músicas falando sobre cuidar dos menos favorecidos. Você pode ter pensado: *Isso é legal, é uma boa idéia. Nós realmente temos que cuidar das pessoas menos afortunadas. Hummm, o que será que está passando na TV?*

Quando esse tipo de coisa acontece, você tem de disciplinar sua mente. Você tem de meditar na Palavra de Deus, e não simplesmente deixá-la desaparecer de sua mente como fumaça.

De acordo com o famoso dicionário *Webster*, a palavra *meditar* significa refletir sobre algo, ponderar, contemplar ou intencionar em sua mente fazer algo. Em resumo, se você quer seguir a Palavra de Deus em sua vida, deve dedicar tempo pensando sobre a mensagem de Deus ao seu povo. Você deve adquirir a prática de pensar sobre a Palavra de Deus, assim como você pratica esporte, ensaia uma música ou um discurso.

O livro de Josué recomenda às pessoas que meditem na lei de Deus dia e noite (veja Josué 1.8). Eis por que essa disciplina tão importante não deveria ser reduzida a um pequeno momento do seu dia tão ocupado.

Separe alguns poucos momentos agora mesmo para estimar quanto tempo de sua vida é gasto em contemplar a Palavra de Deus e em pensar como aplicá-la em sua vida diária. Se você é como a maioria das pessoas, seu tempo de meditação é insignificante comparado com seu tempo assistindo à TV, seu tempo no telefone ou navegando na internet.

Aqui está outra pergunta para você: Você tem problemas em qualquer área de sua vida? Se você tem, uma resposta honesta à pergunta sobre "Quanto tempo você medita na Palavra" pode explicar a razão pela qual você tem esses problemas. Sei disso por experiência própria. Boa parte da minha vida eu não pensava sobre o que eu estava pensando. Fui à igreja por anos, mas nunca realmente pensei sobre o que ouvia ali. Todos os sermões, as músicas e os testemunhos pessoais fugiam da minha mente sem mesmo causar qualquer marca ou impressão.

Eu lia a Bíblia todos os dias também, mas nunca pensava sobre o que estava lendo. Era apenas uma rotina inconsciente: eu não estava *atentando* para a Palavra. Eu não estava devotando meus pensamentos e meus estudos ao que estava ouvindo, mas não estava colocando isso em prática. Ao contrário, simplesmente eu pensava sobre qualquer coisa que surgisse em minha mente num dado momento.

Aqui está algo assustador: naquele tempo, eu não sabia que Satanás poderia injetar pensamentos em minha mente, como uma droga. Como resultado, minha mente estava cheia de mentiras satânicas, assim como muitas coisas sem sentido, coisas que não eram necessariamente ruins, mas não eram dignas de passar meu tempo pensando sobre elas. Essas coisas mantinham minha mente ocupada, mas não de forma produtiva. Assim, muito embora eu fosse cristã, o diabo estava controlando minha vida porque estava controlando meus pensamentos.

Eu precisava mudar minha maneira de pensar. E talvez você também.

O ponto de transformação chegou quando Deus me deu a mensagem que é o título deste capítulo: "Pense sobre que você está pensando".

Uma mente nova em folha

E não vos conformeis com este século, mas transformai-vos pela renovação da vossa mente, para que experimenteis qual seja a boa, agradável e perfeita vontade de Deus.

Romanos 12.2

Nessa passagem, Paulo nos assegura que podemos seguir a boa e perfeita vontade de Deus para nossa vida se renovarmos nossa mente. Como fazemos isso? Oramos para que Deus nos ajude a seguir sua maneira de pensar. Meditamos e nos concentramos na Palavra transformadora de Deus o tempo inteiro. Meditar na Palavra deve se tornar tão indispensável para nossa mente como a comida é para os nosso corpo e a respiração para nossos pulmões.

À medida que renovamos nossa mente à maneira de Deus pensar, seremos transformados naquilo que Deus planejou.

Deixe-me observar agora, contudo, que pensar corretamente nada tem a ver com salvação. É verdade. A salvação é baseada somente na morte de Jesus por você na cruz e na triunfante ressurreição dEle. Você crê em Jesus, Ele salva sua vida. Você irá para o céu porque você O aceitou através da fé.

Estranhamente, porém, no céu haverá pessoas que não viveram uma vida vitoriosa na terra, pessoas que se desviaram do plano de Deus para elas. Por quê? Porque elas nunca renovaram a mente de acordo com a Palavra de Deus. O coração delas pertence a Jesus; mas alguém mais lhes aprisiona a mente.

Durante anos, fui uma dessas pessoas. Eu era verdadeiramente nascida de novo e não havia dúvida de que iria para o céu, mas eu realmente não tinha qualquer sensação de vitória em minha vida porque minha mente era continuamente ocupada tipos errados de pensamentos.

Quais são então os tipos *certos* de pensamentos?

Algo sobre o que pensar

Finalmente, irmãos, tudo o que é verdadeiro, tudo o que é respeitável, tudo o que é justo, tudo o que é puro, tudo o que é amável, tudo o que é de boa fama, se alguma virtude há e se algum louvor existe, seja isso o que ocupe o vosso pensamento.

Filipenses 4.8

Você sabia que a Bíblia fornecia tal instrução detalhada sobre como escolher nossos pensamentos? Enquanto você se esforça para pensar sobre aquilo que você está pensando, use Filipenses 4.8 como uma lista de verificação. Se você for como eu, enquanto você considera o pensamento que flutua em sua mente, poderá nem mesmo passar pelas primeiras duas qualidades.

Por exemplo, suponha que você se encontre pensando sobre fumar maconha pela primeira vez, ou tomar seu primeiro gole de uísque. Assim você poderia se perguntar: *Se eu fizer isso, estou sendo verdadeiro comigo mesmo, verdadeiro com aquilo que eu deveria ser?* Imediatamente ali você terá a resposta.

Mas suponha que você interprete o critério de "Verdadeiro" de outra forma. Você pode argumentar que é verdadeiro que muitos dos seus amigos e colegas de classe estejam fazendo essas coisas. Certo, mesmo que você dê a si mesmo essa razão, vá para o segundo ponto do versículo. Tomar um gole de uísque é algo *respeitável?* (uma versão da Bíblia traduz essa palavra como "digno de reverência"). Você ver o quanto Filipenses 4.8 pode guiar de forma eficiente sua vida de pensamento e seu comportamento?

Use este método enquanto você faz um inventário mental da sua vida. Pergunte a si mesmo: *O que eu tenho pensado nesta última semana e quanto do meu pensamento poderia passar pela peneira de Filipenses 4.8?*

Se você testar seus pensamentos assim, acabará passando mais tempo pensando sobre coisas que o edificarão, e não o derrubarão.

Se você está cheio de pensamentos errados, se tornará miserável assim como eu era. E aqui está algo mais que aprendi de minha própria experiência. Quando uma pessoa é miserável, ela geralmente termina tornando outras pessoas miseráveis também. E as pessoas que você torna mais miseráveis são sua família e amigos, incluindo seu namorado ou sua namorada, as últimas pessoas no mundo que você gostaria de prejudicar.

Encerro esse capítulo revelando uma das táticas enganosas favoritas de Satanás. Ele quer enganá-lo fazendo-o pensar que a fonte da sua miséria é o que está acontecendo ao seu redor, fora de você. Em outras palavras, suas circunstâncias e as pessoas em sua vida.

> **Lista de verificação de seu pensamento por meio de Filipenses 4.8**
>
> Você está confuso sobre aquilo que você tem pensado? Submeta seus pensamentos ao seguinte teste:
>
> Meus pensamentos são...
> 1. Verdadeiros
> 2. Respeitáveis
> 3. Justos
> 4. Puros
> 5. Amáveis
> 6. De boa fama
> 7. Virtuosos
> 8. Louváveis

Aqui está a verdadeira questão: nenhuma coisa ou pessoa pode tornar você miserável sem sua permissão. Algumas das pessoas mais felizes que conheço enfrentam lutas financeiras, passam por problemas em seus lares ou batalham contra algum tipo de aflição física.

Durante muitos anos, atribuí minha infelicidade às coisas que outras pessoas estavam fazendo ou não estavam fazendo. Eu atribuía minha miséria ao meu marido e aos meus filhos. *Se eles fossem diferentes*, eu pensava, *se somente eles pudessem ser mais atentos às minhas necessidades e ajudar em casa mais freqüentemente, eu seria feliz.*

Finalmente, graças a Deus, enfrentei a verdade: nada que minha família fizesse ou deixasse de fazer poderia me prejudicar se eu escolhesse ter a atitude certa. Meus pensamentos, e não meu marido e meus filhos, estavam me tornando miserável.

Deixe-me dizer mais uma vez: pense no que você está pensando. Se você fizer isso, é muito provável que você descobrirá a fonte de muitos dos seus problemas. E uma vez que você fizer isso, rapidamente estará no caminho para a liberdade e paz de mente.

PARTE DOIS

Como está sua mente?

INTRODUÇÃO

Nós, porém, temos a mente de Cristo (o Messias), os pensamentos (sentimentos e propósitos) de seu coração..

1 Coríntios 2.16

Tenho uma pergunta para lhe fazer: Onde está sua mente agora mesmo? Você esteve num diferente espaço mental na última semana? No último ano?

Se você é como a maioria das pessoas, sua condição mental muda drasticamente. Pode ser tão imprevisível quanto o clima. Num dia você pode estar calmo e tranqüilo. Uma semana mais tarde você está agitado, ansioso e preocupado sobre quase tudo.

Ou você já tomou uma decisão, tal como matricular-se em um curso ou romper com um relacionamento amoroso e, então, uma parte de você entrou numa crise de pânico?

Mais importante: Você já se sentiu forte em sua vida espiritual por um tempo e então se descobriu enfraquecendo? Incapaz de encontrar motivação para abrir sua Bíblia? Dando desculpas para não ir à igreja ou ao grupo de jovens? Não orando, a menos que você tivesse algum tipo de emergência e precisasse que Ele o tirasse de uma enrascada?

Eu também estive assim. Em certo ponto de minha vida eu parecia ser capaz de acreditar em Deus e confiar em sua Palavra como se isso fizesse parte de mim. Mas, em outras vezes, a dúvida e a incredulidade assaltavam-me sem misericórdia. Assim, comecei a perguntar a mim mesma: *O que está errado comigo? Minha mente é anormal? E, afinal, o que é exatamente ser normal?*

Eu tinha uma mente julgadora e crítica, algo que seria considerado anormal para um crente, mas já que minha mente tinha sido dessa forma grande parte da minha vida, eu imaginava que isso fosse normal, embora eu questionasse tal atitude algumas vezes. Afinal, isso era o que eu costumava ser. Além do mais, tanto quanto eu sabia, não havia nada que eu pudesse fazer para mudar minha forma de pensar.

Eu tinha sido crente por anos nesse ponto de minha vida, mas ninguém tinha me ensinado sobre minha vida de pensamento ou me dado padrões sobre como minha mente deveria funcionar como filha de Deus.

Lembre-se: nossa mente não nasce de novo quando nos tornamos cristãos. Nossa mente tem de ser renovada, e essa renovação é um processo que exige tempo. Assim, não fique desanimado ou abalado quando você ler esta parte deste livro. Você pode descobrir que sua mente não está na condição correta. Tudo bem. Reconhecer o problema é o primeiro passo para chegar onde você precisa estar.

Imagine um atleta que pensa que está numa excelente forma. Ele se exercita bastante durante o verão e parece maravilhoso comparado com a maioria de seus colegas. Mas ele comparece no primeiro dia do treino de futebol e descobre que seu desempenho é lento. A princípio, ele não pode acreditar no que está vendo.

Então, na sala de musculação, ele descobre que não consegue levantar os pesos nem mesmo uma vez. Tais notícias são preocupantes, mas se esse rapaz quer tornar-se um jogador de futebol, ele agora tem alguma informação sobre onde está fisicamente em comparação com aquilo que ele precisa ser. Seu mundo foi abalado de alguma forma, mas a boa notícia é que ele sabe alguma coisa que ele não sabia antes. Agora ele pode lidar com a realidade, não com alguma noção fantasiosa sobre si mesmo.

Em meu caso, meu mundo ruiu anos atrás, quando comecei a pensar seriamente sobre meu relacionamento com o Senhor. Quanto mais eu me aproximava dEle, mais Ele começava a me revelar que muitos dos meus problemas estavam firmados em pensamentos errados. Em resumo, minha mente era uma confusão! É possível que ela nunca tivesse estado na condição que deveria estar.

Essa percepção me abalou. Comecei a ver que eu estava viciada em pensamentos errados. Eu tentava fugir dos maus pensamentos quando eles vinham à minha mente, mas, como um bumerangue, eles voltavam. Se você já teve um amigo que tentou parar de fumar, mas permanecia tendo recaída e cedendo à tentação e à velha rotina, você pode imaginar o quadro.

É bastante difícil vencer pensamentos errados porque Satanás lutará *agressivamente* contra você durante o processo de renovar sua mente. Assim, você terá de orar e estudar a Palavra. Você terá de agarrar-se às promessas de Deus e firmar-se nelas. Você terá de prosseguir. Se você fizer isso, pouco a pouco, renovará sua mente. Você será menos disperso e mais preciso mentalmente. Você ficará menos agitado e confuso, e mais seguro da direção que sua vida deve tomar. Será menos temeroso porque perceberá que como filho de Deus você tem o privilégio de lançar todos os cuidados sobre Ele.

Assim, em oração, prossiga à próxima parte do *Campo de Batalha da Mente*. Creio que isso abrirá seus olhos para padrões de mente anormais e desenhará um quadro do padrão correto de mente para um seguidor de Cristo, determinado a caminhar em vitória.

Será que minha mente é normal?

O Centro de Controle de Doenças dos Estados Unidos estima que quase dois terços dos adultos americanos estejam com excesso de peso, sendo que 31% já são considerados obesos. Assim, se você caminhar pelo shopping da sua cidade, você pode deduzir que estar acima do peso é algo normal. Mas não é. Certamente, a maioria das pessoas pode estar com excesso de peso nos dias de hoje, mas isso não é *normal*.

Essa distinção entre o que a maioria está fazendo e o que é normal torna-se bem mais importante quando falamos sobre a mente. Quando você pergunta a si mesmo *Em que condição minha mente deveria estar?* você não pode apenas olhar para as pessoas ao seu redor e comparar-se com elas. Você tem de ir mais fundo.

Quando nos tornamos cristãos, o Espírito Santo de Deus vem morar dentro de nós. Bem, o Espírito conhece a mente de Deus e um dos seus propósitos é revelar-nos a sabedoria e a orientação de Deus.

Mas temos um desafio enquanto processamos a direção e a revelação do Espírito Santo a nós. Como humanos, somos uma junção do natural e do espiritual. O cérebro natural opera pelas leis naturais: neurônios estimulados, serotonina sendo liberada, e assim por diante. O cérebro natural funciona para nos ajudar a processar informação, resolver problemas e muito, muito mais. Mas, apesar de todas essas maravilhas, nosso tremendo cérebro natural não compreende as coisas espirituais (veja 1 Corintios 2.14).

Para compreender o espiritual, a mente precisa ser iluminada pelo Espírito Santo. O problema é que nossa mente, freqüentemente, dá ao Espírito um sinal de "ocupado" quando Ele está tentando nos iluminar. Preocupação, ansiedade, medo e coisas assim causam um sinal de ocupado. Quando nossa mente está ocupada com coisas como essas, elas não podem estar atentas ao Espírito de Deus.

Em resumo, sua mente é normal quando ela está em descanso. Não apagada, como a tela do computador quando é ligado pela primeira vez, mas em descanso, serena, atenta à direção e à inspiração de Deus.

Pense sobre nisto por um minuto: sua mente é *normalmente*, serena? Ou ela é sobrecarregada, bombardeada com informações, estresse, obrigações, prazos e compromissos? Como você verá em alguma parte deste livro, 99% dos adolescentes como você sentem-se estressados ao menos em alguma parte do tempo, assim, se você está se sentindo sobrecarregado, não está sozinho nisso.

Qual foi a última vez que você permitiu que sua mente simplesmente se acalmasse para atender ao seu lado espiritual, em vex de o lado natural que se impõe tanto?

O Espírito Santo está pronto para enriquecer você com a sabedoria e inspiração divinas, mas, se sua mente estiver muito ocupada com outras coisas, você perderá isso.

> ### VOCÊ É MUITO ESTRESSADO?
>
> Ao menos em alguma parte do tempo, 99% dos adolescentes sentem-se estressados, 67% sentem estresse em mesmo saber por quê.
>
> Numa pesquisa nos Estados Unidos, foram apontadas cinco causas principais que levam ao estresse. Quantas delas fazem parte da sua vida?
>
> 1. Sentir-se sobrecarregado pelas tarefas escolares.
> 2. Não ter dinheiro eficiente.
> 3. Querer ser bem colocado nos vestibulares.
> 4. Lidar com múltiplas prioridades.
> 5. Sentir-se gordo ou fisicamente não atraente. [1]

Um grande Deus, com uma voz suave

Disse-lhe Deus: Sai e põe-te neste monte perante o Senhor. Eis que passava o Senhor; e um grande e forte vento fendia os montes e despedaçava as penhas diante do Senhor, porém o Senhor não estava no vento; depois do vento, um terremoto, mas o Senhor não estava no terremoto; depois do terremoto, um fogo, mas o Senhor não estava no fogo; e, depois do fogo, um cicio tranqüilo e suave.

1 Reis 19.11-12

Você já experimentou algo como isso que aconteceu com Elias nessa passagem? Você já experimentou orar e pedir sabedoria a Deus, mas Ele respondeu de forma que você não esperava?

Durante anos, orei pela revelação divina de Deus, por intermédio do Seu Espírito vivendo em mim. Eu sabia que meus pedidos estavam em linha com a Bíblia. Estava certa de que deveria pedir a Deus revelação e estava segura de que receberia uma resposta.

Mas, pelo contrário, durante um bom tempo me senti como uma estúpida espiritual. Então descobri, finalmente, que não estava alcançando muito do que o Espírito Santo estava colocando em meu caminho porque minha mente era tão agitada e ocupada que me fazia perder as revelações que me eram oferecidas.

Imagine você e sua melhor amiga numa apresentação musical bastante barulhenta. No meio do solo da bateria, você lhe sussurra algo. Não somente você não será ouvido, mas, a menos que sua amiga esteja olhando para você, ela nem mesmo perceberá que você lhe disse alguma coisa.

É assim com a comunicação do Espírito Santo de Deus ao nosso coração e à nossa mente. O Espírito Santo é gentil. Na maior parte do tempo, Ele nos fala como no caso de Elias, numa voz mansa e suave. Eis por que é vital manter nossa mente sintonizada na freqüência de Deus.

Existe uma linda canção cristã que começa assim: "Despertei nesta manhã com minha mente sintonizada em Jesus". Esse é um bom conselho.

Isaías 26.3 promete, "Tu, Senhor, conservarás (guardarás e manterás) em perfeita (e constante) paz aquele cujo propósito (tanto sua mente, sua inclinação, assim como seu caráter) é firme; porque ele confia (se apóia e espera confiantemente) em ti".

Comprometa-se a manter sua mente em paz. Satanás vai tentar sobrecarregar seu circuito e extenuar sua mente ao enchê-la com pensamentos malignos, destrutivos e sem qualquer propósito. Você deve manter esses circuitos abertos e disponíveis ao Espírito de Deus. Mantenha sua mente "sintonizada em Jesus". Uma mente sintonizada nele é uma mente descansada e em paz.

Ei, onde minha mente foi parar *desta* vez?

No capítulo anterior, aprendemos que uma mente bastante ocupada não é normal. Mas a anormalidade mental tem mais do que uma faceta. Neste capítulo você descobrirá outras duas.

Quantas vezes isso já lhe aconteceu: você está sentado durante uma aula na escola e, por algum tempo, está atento a tudo o que o professor está dizendo. Você está absorvendo as informações, até mesmo tomando notas. Então, por alguma razão, sua mente decide fazer uma pequena viagem. Talvez até a casa de um amigo, o shopping, ou através do país para visitar um primo.

Após um tempo, a atenção volta novamente, mas você olha para o relógio e percebe que mentalmente falando esteve fora dali nos últimos doze minutos.

Isso tem acontecido comigo, também, até mesmo na igreja. É algo comum a todos nós; acontece com a maioria das pessoas. Mas isso não é *normal*.

Muitas pessoas passam anos permitindo que a mente delas se dispersem. Isso porque elas nunca aplicaram os princípios da disciplina à sua vida de pensamento. Elas nunca deixaram um filho, um irmão mais novo ou mesmo seu cachorro vagar a esmo para algum lugar desconhecido; mas elas fazem isso com seus pensamentos o tempo inteiro. Após algum tempo, isso se torna quase um hábito.

Assim é que freqüentemente as pessoas que parecem não conseguir se concentrar acham que são mentalmente deficientes, mas, muito provavelmente, trata-se apenas de falta de disciplina. Após anos deixando a mente dispersar para fazer o que ela deseja, é difícil reassumir o controle.

Privar-se de alimentação apropriada também pode enfraquecer a concentração. Em particular, as vitaminas do complexo B aumentam a habilidade de concentração. Assim, se você tem sido atingido por uma incapacidade de concentrar-se, vale a pena consultar um médico ou nutricionista.

Outro grande fator associado à falta de concentração é a fadiga. Você tem perdido muito tempo brincando com jogos, mensagens na internet ou salas de bate-papo até tarde da noite e, então, encontra-se virtualmente impossibilitado de prestar atenção na aula no dia seguinte?

Já percebi que, quando estou muito cansada, Satanás tentará atacar a minha mente, porque ele sabe que é mais difícil eu resistir quando estou assim.

Sua mente pode vagar enquanto você estiver lendo também. Posso ler um capítulo da Bíblia, chegar ao final e, então, perceber que não faço a mínima idéia do que acabo de ler. Volto, leio todo o capítulo novamente, e aquilo parece novo para mim. Isso porque, embora meus olhos estivessem passando pelas palavras e as páginas, minha mente estava em qualquer outro lugar. Ela não estava alerta e disponível para processar o que estava lendo. Porque falhei em me concentrar, falhei em compreender.

No livro de Eclesiastes, o sábio Salomão aconselha as pessoas a "chegar-se para ouvir é melhor (atentar para o que se está fazendo é melhor)" (5.1, Amplificada). Pense sobre esse conselho. Isso significa comprometer sua mente com as palavras da página que você está lendo, da música que você está ouvindo, do sermão que está sendo pregado. É isso que alguém quer dizer com: "Peço sua *total* atenção".

A *total* atenção não tem sido fácil para mim. Eu costumava ter uma mente dispersa e tive de treiná-la pela disciplina. Esse treinamento não foi fácil, e confesso que ainda tenho recaídas. Ao definir a palavra *dispersar*, o dicionário usa palavras como "mover-se sem alvo" e "vagar". Posso estar escrevendo um livro e subitamente perceber que estou pensando sobre algo que nada tem a ver com o livro ou seu assunto.

Eu ainda não cheguei a um lugar de perfeita concentração, mas ao menos agora compreendo como é importante impedir minha mente de vagar para onde ela desejar, sempre que ela quiser. Estou consciente da minha tendência e, assim, sou mais vigilante sobre isso.

Simplesmente estar consciente pode fazer uma grande diferença. Em conversas com meu marido Dave, eu costumava prestar atenção por um tempo e, então, tirava algumas férias mentais e perdia muitas frases do que ele estava dizendo. Houve um tempo quando eu tentava encobrir minha falta de atenção concordando com ele e fingindo que estava ouvindo cada simples palavra. Isso era falta de respeito, assim como desonestidade.

Agora, quando isso acontece, e eu admito que isso ainda acontece de vez em quando, interrompo Dave e digo: "Você pode repetir o que estava dizendo? Perdoe-me, mas deixei minha mente se dispersar e não ouvi isso".

Pode ser embaraçador admitir que você não tenha prestado atenção, mas no final é muito mais respeitoso do que fingir que está ouvindo. E você não terá perdido uma parte importante da informação e nem ficará embaraçado se perguntarem: "Você concorda com isso que acabo de dizer?" ou "O que você acha disso"?

Ser honesto assim também mostra às pessoas que você reconhece que tem uma tendência à dispersão, está confrontando isso e trabalhando para melhorar. E confrontar problemas é a única forma de derrotá-los!

Outra maneira de combater uma mente dispersa é encontrar formas de reforçar as mensagens que Deus está tentando lhe comunicar. Muitas igrejas, por exemplo, fazem CDs ou cassetes de sermões. Ouvi-los enquanto você vai para a escola ou para o trabalho, ou enquanto faz uma caminhada é uma boa forma de enfatizar os pontos importantes ou compreender algo que você tinha perdido no sermão da igreja. Algumas igrejas até mesmo liberam seus sermões mais recentes em seus web-sites.

Se você está estudando um livro da Bíblia, tente ler as passagens em várias versões. Tenho usado essa técnica neste livro. Algumas vezes, as diferentes formas de escrever um versículo ampliam e aprofundam nossa compreensão dele.

A música é outra grande forma de combater uma mente dispersa. O ritmo, as rimas e a melodia podem ajudá-lo a lembrar o versículo bíblico ou uma verdade importante da Bíblia.

Uma mente questionadora

Antes que você conclua este capítulo, é tempo de conhecer uma parenta próxima da mente dispersa: a mente questionadora, aquela que sempre precisa saber de tudo. Preciso dizer que não estou falando sobre o tipo de indagação e perplexidade que temos diante de Deus e da sua criação. Trata-se de um questionamento de outro tipo...

"Eu me pergunto que tipos de notas terei nesse semestre."
"Eu me pergunto se terei um bom emprego algum dia."
"Eu me pergunto quanto tempo viverei."
"Eu me pergunto que idade terei quando meus cabelos ficarem brancos, ou começarem a cair."

Você já teve pensamentos assim? Para mim, minhas "perguntas" são do tipo: "Eu me pergunto como meu filho está lidando com a pressão em seu emprego", ou "Eu me pergunto quantas pessoas irão ao meu seminário nesta semana", ou "Eu me pergunto o que deveria vestir".

Esse tipo de pergunta reflete um tipo de hesitação que é definido como "um sentimento de questionamento ou dúvida".

Se sua mente estiver nesse constante estado de indagação, isso não é normal. É apenas perda de tempo, e isso trará preocupação desnecessária. Descobri que é muito melhor fazer algo positivo em vez de simplesmente perguntar-me sobre as coisas o tempo inteiro.

Por exemplo, em vez de perguntar como meu filho está indo, eu poderia orar por ele, encorajá-lo e ajudá-lo se ele necessitar. E em de me perguntar quantas pessoas irão ao seminário, eu poderia me preparar bem, comprometer-me a fazer o melhor e, então, deixar o assunto com Deus e confiar nEle para operar todas as coisas para o bem, a despeito de quem ou quantas pessoas irão.

A dúvida vinda da indagação produz indecisão, e a indecisão causa confusão. E esse estado de mente nos impede de receber de Deus, pela fé, suas respostas e direção para nossa vida.

Note que em Marcos 11.23-24 Jesus não disse "Tudo o que você pedir em oração, questione *se* você obterá". Pelo contrário, Ele disse: "Tudo quanto em oração pedirdes, *crede* que recebestes,!".

Como cristãos, algumas vezes somos chamados de crentes e não de questionadores. Isso porque devemos crer, e, não, duvidar!

PARTE TRÊS

Seis Estados nos quais você *não* quer morar

INTRODUÇÃO

Pense por alguns minutos no Estado em que você mora. O que você gosta nele? O clima? As praias? As montanhas? A comida? As pessoas? As possibilidades de lazer?

Agora, do que você não gosta nele? A poluição? A criminalidade? O trânsito? Há algum outro lugar em que você gostaria de morar?

Bem, não importa como você se sinta sobre o Estado geográfico no qual você reside, é melhor do que outros estados, estados mentais, dos quais falaremos nesta seção.

Quanto você conhece seu Estado?

Essa seção do livro é sobre estados mentais, mas não ignora os Estados geográficos. Dê uma olhada nas duas listas dos dez estados americanos abaixo. Esses estados são líderes nacionais em duas importantes categorias. Você pode descobrir quais são elas?

Lista 1:

1. Rhode Island
2. Dakota do Norte
3. Wisconsin
4. Dakota do Sul
5. Montana

6. Minnesota
7. Nebraska
8. Wyoming
9. Vermont
10. New Hampshire

[Resposta: Esses são os dez Estados em que mais ocorre embebedamento entre jovens de 18 a 21 anos, baseados em dados dos próprios jovens nos últimos trinta dias[1]

Lista 2:

1. Rhode Island
2. Colorado
3. New Hampshire
4. Novo México
5. Vermont
6. Arizona
7. Alaska
8. Maine
9. Massachusetts
10. Wyoming

[Resposta: Esses são os dez Estados em que mais ocorreu o uso de cocaína entre jovens de 18 a 21 anos no ano passado [2]]

O estado de confusão

Se, porém, algum de vós necessita de sabedoria, peça-a a Deus, que a todos dá liberalmente e nada lhes impropera; e ser-lhe-á concedida. Peça-a, porém, com fé, em nada duvidando; pois o que duvida é semelhante à onda do mar, impelida e agitada pelo vento. Não suponha esse homem que alcançará do Senhor alguma coisa; homem de ânimo dobre, inconstante em todos os seus caminhos.

Tiago 1.5-8

Você sabia que Deus deseja muito lhe dar sabedoria e tudo o que você precisa fazer é pedir? Parece algo bastante simples: 1. Você precisa de sabedoria e orientação sobre a vida. 2. Você pede a Deus ajuda. 3. Deus lhe dá aquilo de que você precisa.

Mas muitas pessoas fazem desse simples processo de três passos uma complicação desnecessária e ineficaz.

Algumas delas pedem sabedoria a Deus, mas, enquanto isso, ficam bastante ocupadas tentando resolver as coisas sozinhas. Outras oram para se tornarem-se mais sábias, mas suas orações são vacilantes e cheias de dúvida do tipo: "Deus, eu realmente preciso da Tua sabedoria para tomar algumas boas decisões sobre meus relacionamentos, mas, por outro lado, o Senhor provavelmente tem orações mais importantes para responder do que essa. Quem pode saber se o Senhor realmente está me ouvindo agora? Além disso, não posso me imaginar mesmo como uma pessoa sábia. Isso não é o que eu sou. Eu sempre me atrapalho fazendo escolhas ruins. Nem mesmo sei por que estou me importando em orar".

Esse tipo de oração parece familiar a você? Você já começou uma oração sinceramente pedindo a orientação de Deus e, então, gradualmente percebeu sua oração se afundando numa frágil lista de dúvidas e inseguranças?

Leia o final do versículo que abriu essa sessão novamente. A Bíblia na versão Amplificada o traduz dizendo que alguém que duvida é como um homem de "duas mentes". Não parece um filme de terror? Imagine: "O homem de duas mentes"! E, de fato, é horrível viver com uma mente que quer ir em duas direções opostas ao mesmo tempo.

Conheço esse terror. Vivi muito tempo da minha vida como "a Joyce de duas mentes". Eu não percebia que o diabo tinha declarado guerra contra mim e que minha mente estava num campo de batalha. Eu era totalmente confusa sobre tudo e não sabia a razão.

Uma proposta razoável

Uma coisa que aumentava minha confusão era racionalizar demais. Sim, você leu corretamente. Exatamente: racionalizar é freqüentemente uma coisa boa, mas nem sempre. Você pode estar achando isso estranho, mas continue comigo. Tenho boas razões para alertá-lo sobre o perigo de valorizar a racionalização, e creio que você achará isso razoável.

Racionalizar ocorre quando uma pessoa começa a perguntar o "porquê" de tudo. Agora, é bom questionar coisas como: "Por que o alarme de incêndio disparou"? ou "Por que o motor do meu carro está fazendo esse barulho estranho"?

Contudo, em outras situações, Satanás pode usar seu próprio poder de racionalização contra você. O Senhor pode estar orientando ou inspirando você a fazer algo, mas, porque isso não faz sentido nem parece lógico, você pode ignorar a direção de Deus. A Bíblia nos alerta que quando não estamos abertos ao Espírito de Deus, as coisas de Deus parecem loucura para nós (1 Coríntios 2.14).

Aqui está um exemplo para ajudá-lo a compreender esse princípio. Se você é como a maioria dos adolescentes, provavelmente deve ter assistido ao menos a algum dos filmes da série *Karatê Kid*. Lembra-se de quando Mr. Miyagi ensinou a seu jovem aluno, Daniel, sobre artes marciais? Ele não o levou à escola de karatê e lhe mostrou socos e pontapés. Pelo contrário, Daniel teve de pintar uma cerca, limpar o chão e lavar um carro.

Daniel, compreensivelmente, estava furioso. Ele *raciocinou*: "Isso não faz sentido para mim. Quero aprender karatê, e não esse bando de serviços. Talvez esse velho professor esteja tentando me usar para fazer as tarefas para ele".

A realidade é que as tarefas que Miyagi tinha dado a Daniel eram exatamente do que ele precisava para construir a força, a forma e a disciplina necessárias para se tornar um lutador campeão. Mas se Daniel tivesse se apoiado em sua racionalização em vez de seguir seu professor, ele nunca teria se tornado o hábil lutador de karatê que esperava ser.

Ou talvez você tenha ouvido a história do pequeno jovem que pulou da janela do segundo andar de uma casa num incêndio. Seu pai estava abaixo da janela, pedindo-lhe que ele pulasse. Mas o menino, porque não podia ver o pai por causa da fumaça, não queria saltar. Não era razoável que ele saltasse no colo de alguém que ele não podia ver. E só quando o menino confiou mais em seu pai do que em seu próprio raciocínio é que ele foi capaz de pular para sua própria salvação.

Aprender a compreender como equilibrar o raciocínio da mente e a obediência ao Espírito pode impactar sua vida em coisas grandes e pequenas.

Por exemplo, certa manhã enquanto eu estava me vestindo para ministrar numa reunião semanal, comecei a pensar sobre uma mulher que trabalhava no ministério de socorros ligado às minhas reuniões. Ela sempre tinha sido fiel em suas tarefas, e um desejo brotou em meu coração: eu queria fazer algo que a abençoasse.

"Pai", orei, "Ruth Ann tem sido uma bênção para nós em todos esses anos. O que eu poderia fazer para abençoá-la"?

Imediatamente meus olhos caíram sobre um vestido vermelho novo pendurado em meu armário, e senti em meu coração que Deus estava me pedindo para dar esse vestido a Ruth Ann.

Gostaria de colocar, a princípio, uma série de coisas a respeito desse vestido vermelho: 1. Eu o comprara três meses antes, mas nunca o vestira. Ele nem fora retirado da embalagem de plástico, como eu o trouxera da loja. 2. Eu realmente gostava do vestido, mas, todas as vezes que tentava vesti-lo, finalmente, decidia usar qualquer outra roupa.

Não haveria qualquer motivo que me impedisse de dar esse vestido a Ruth Ann, certo?

Errado. Minha mente indecisa imediatamente rejeitou a idéia inspirada por Deus. Em vez de simplesmente abençoar Ruth Ann com um presente que Deus tinha convenientemente colocado diante de mim, comecei a raciocinar...

Ainda nem tive a chance de vestir esse vestido e eu realmente gosto dele.

O vestido foi muito caro. Eu devia usá-lo um pouco antes de simplesmente dá-lo!

Comprei um par de brincos vermelhos e prata simplesmente para combinar com esse vestido!

Enfim, racionalizei de forma a não fazer algo por uma pessoa que merecia. Isso levou pouco tempo e, em poucos minutos, esqueci de tudo e fui cuidar das minhas coisas.

Semanas mais tarde, eu estava me vestindo para outra reunião no mesmo local daquele anterior. Novamente, o nome de Ruth Ann surgiu em meu coração. Comecei a orar quase a mesma oração anterior, perguntando a Deus como poderia abençoar Ruth Ann. Acabei orando e vendo o vestido novamente. Senti o peso da culpa. Lembrei-me do incidente anterior e fiquei perturbada sobre como rapidamente aquilo tinha saído da minha mente da primeira vez.

Desta vez, não havia racionalização que me fizesse desviar daquilo. Eu tinha de enfrentar o fato de que Deus estava me mostrando o que fazer e eu precisava fazer aquilo ou simplesmente reconhecer e dizer: "Sei o que o Senhor está me mostrando, Deus, mas não vou fazê-lo". Eu amo a Deus demais para voluntariamente desobedecer-lhe.

Enquanto orava sobre a situação, percebi que a Bíblia não diz que nós podemos dar somente nossas coisas velhas e indesejáveis. Certamente, seria um grande sacrifício dar um vestido novo e caro, mas isso significaria que o presente seria bem mais abençoador para Ruth Ann. Deus me mostrou que, na realidade, eu tinha comprado aquele vestido para ela. Eis por que eu nunca consegui vesti-lo. O Senhor já pretendia me usar como seu canal para mostrar amor por Ruth Ann. Mas eu tinha dado vazão às minhas próprias idéias, até finalmente desejar colocar de lado minhas idéias e ser dirigida pelo Espírito de Deus.

Descobri que Deus quer que eu Lhe obedeça, quer eu goste disso ou não, concorde ou não que isso seja uma boa idéia. Quando Deus fala, Ele quer que eu me mobilize, e, não, racionalize.

A propósito, você pode estar se perguntando se finalmente dei o vestido a Ruth Ann. Sim, dei. Ela agora trabalha em nosso escritório em tempo integral e, às vezes, usa o vestido para trabalhar. Ficou maravilhoso nela!

Em quem você está se apoiando

Confia (apóia-te e creia) no Senhor de todo o teu coração (e mente) e não te estribes no teu próprio entendimento (e compreensão .
Provérbios 3.5

É significativo que esse versículo de Provérbios na Bíblia Amplificada mencione tanto o coração quanto a mente. A mente e o espírito podem e fazem a obra juntos para ajudar as pessoas a seguir a Deus. Você está usando sua mente para ler essas palavras agora mesmo e, ao mesmo tempo (eu espero), o livro está tocando seu coração, seu espírito também.

Os problemas ocorrem quando as pessoas elevam a mente acima do espírito. O espírito é mais nobre do que a mente e deveria ser sempre honrado acima dela.

Por exemplo, vamos supor que você esteja enfrentando um exame final difícil em uma de suas matérias. Um colega seu tem acesso aos dados da escola e consegue o gabarito da prova e, assim, envia e-mails para todos os alunos da classe. Seu espírito lhe diz que seria errado colar. Em seu espírito, em seu interior, você sente uma atração magnética a fazer a coisa certa.

Mas vamos ver o que acontece se você começar a racionalizar...

"Se todos têm as respostas, realmente não se trata de cola. Colar é quando você tem uma vantagem injusta sobre os outros alunos. Não é o caso aqui."

"Realmente preciso de uma boa nota nessa matéria. Isso ajudará em meu desempenho, poderei obter uma bolsa, e isso fará com que meus pais tenham menos gastos."

"A professora é uma chata. Eu odeio sua maneira de dar aula. É difícil aprender alguma coisa com ela. Eu mereço algum tipo de vantagem sim."

"Se sou o único que não está colando, isso não é justo para mim. Porque eu deveria ser o único a sofrer?"

"Eu sou um bom aluno Se eu não colar e, então, obtiver a menor nota da classe, a professora ficará desconfiada. Eu colocaria todos em problemas. É como se eu precisasse colar, ou haverá uma grande confusão."

Você percebe o que pode acontecer se permitirmos que o raciocínio nos desvie de seguir o que Deus coloca em nosso coração? Você vê o tipo de ginástica mental à qual podemos nos submeter?

Não sei quanto a você, mas quero que Deus me revele coisas de tal forma que saberei em meu espírito o que devo fazer. Não quero correr mentalmente ao redor de uma questão ou problema até ficar tonta e exausta. Quero experimentar a paz de mente e coração que vem ao me apoiar em Deus, e não em minha própria compreensão.

Você e eu precisamos progredir em nossa jornada espiritual até alcançarmos um nível no qual ficaremos satisfeitos em conhecer Aquele que sabe todas as coisas, mesmo quando nós não sabemos.

Os estados da dúvida e da incredulidade

À primeira vista, pode parecer que esses "estados" sejam semelhantes. Afinal, a dúvida e a incredulidade não parecem significar a mesma coisa?

Os dois termos estão relacionados, e ambos são lugares perigosos para onde Satanás deseja nos atrair. Veja um pouco sobre a dúvida e a incredulidade para que você possa saber exatamente para onde você está sendo atraído ou empurrado.

A sujeira da dúvida

Uma grande ferramenta de referência, o *Vine's An Expository Dictionary of New Testament Words* (Dicionário Vine) observa que *duvidar* é "permanecer entre dois caminhos... implicando na incerteza sobre qual caminho tomar... É dito de crentes cuja fé é pequena... Estando ansiosos, mediante um estado disperso de mente, oscilando entre a esperança e o medo".[1]

Aqui um relato que exemplifica essa definição:

Certo homem doente queria ser curado. Assim ele orava e declarava versículos sobre cura. Ele cria que seria curado, mas após algum tempo as dúvidas invadiram sua mente. Essa tensão o fez ficar cada vez mais desencorajado.

Então, Deus permitiu que ele tivesse um vislumbre do mundo espiritual. Eis o que esse homem viu: um demônio estava sussurrando mentiras para ele, dizendo: "Você não será curado, toda essa história de recitar versículos bíblicos como palavras mágicas não vai funcionar"!

Mas o homem também viu que cada vez que ele proclamava a Palavra de Deus uma luz saía dos seus lábios como uma espada e forçava o demônio a curvar-se e cair para trás.

Essa visão causou uma profunda impressão nesse homem. Ele compreendeu que era importante manter-se declarando a Palavra de Deus, porque ela produzia efeito. E a prova disso era o esforço que o demônio fazia para lançar a dúvida, tentando fazer o homem desistir. A dúvida é uma ferramenta do inimigo; não é algo de Deus.

A Bíblia garante que Deus dá a todos uma medida de fé (Romanos 12.3). Ele coloca a fé em nosso coração, e o diabo tenta negar essa fé ao nos atacar com dúvida. Eis por que é tão importante conhecer e compreender a Bíblia, memorizar versículos-chave e ser capaz de procurar passagens que fortalecerão nossa fé. Se nós compreendermos a Palavra de Deus, reconheceremos quando o diabo estiver tentando plantar mentiras em nossa mente.

Incredulidade desmascarada

Enquanto a dúvida é uma fé com alguma incerteza, a *incredulidade* é a falta de crença ou fé. A incredulidade pode crescer até a total rejeição da fé. A incredulidade é um estado perigoso para se estar, mas pode ser evitado.

Você se lembra da história sobre Abraão, como Deus prometeu a um homem de 100 anos de idade (com uma esposa quase igualmente idosa) que ele seria o pai de muitas nações? Abraão ouviu a promessa de Deus e não enfraqueceu em sua fé, embora um espírito de incredulidade o atacasse como um enxame de abelhas selvagens.

À medida que Abraão resistiu à tentação de não acreditar na promessa de Deus, a Bíblia nos diz que ele se tornou mais forte em sua fé e foi cada vez mais fortalecido por ela. Esse é o ponto-chave. Ou seja, quando Deus nos diz ou pede para fazer algo, Ele também providencia a fé e a coragem para avançarmos. Ele não o envia uma batalha sem armas ou defesa, balançando os ombros e dizendo: "Pobrezinho, eu não iria para uma batalha tão despreparado quanto você, porém, boa sorte. Vamos ver o que acontece".

Pelo contrário, Deus nos dá a habilidade para crermos que podemos fazer o que precisa ser feito. E Ele nos ajudará a nos tornarmos mais fortes se nos voltarmos para Ele e sua Palavra em busca de sabedoria e poder. Isso faz Satanás tremer. E ele sabe quão perigosa é uma pessoa com um coração cheio de fé. Eis por que ele fará tudo o que puder para enfraquecer nossa fé. Eis por que ele mente tanto na tentativa de nos fazer parar de crer. E essas mentiras podem ser convincentes.

Dou um exemplo da época em que recebi meu chamado de Deus para entrar no ministério. Foi uma manhã comum para mim, exceto que três semanas antes eu tinha sido cheia do Espírito Santo e estava faminta para crescer em minha fé. Eu tinha ouvido um estudo de um ministro chamado Ray Mossholder, intitulado *Atravesse para o outro lado*. Enquanto eu ouvia a mensagem, meu coração se agitou e fiquei admirada de que alguém pudesse falar por uma hora baseando-se apenas numa passagem da Bíblia e conseguir prender a atenção o tempo todo.

Mais tarde, enquanto arrumava minha cama, subitamente senti um intenso desejo crescendo dentro de mim: eu queria ensinar a Palavra de Deus. Em seguida, ouvi o Senhor me dizendo algo: "Você irá por todos os lugares e ensinará a minha Palavra, e você terá um grande ministério de ensino por meio do vídeo e do áudio".

Se você tivesse me conhecido na época, teria concordado comigo que não havia qualquer razão lógica para acreditar que esses sentimentos vinham realmente de Deus ou que eu poderia cumprir essa tarefa. Eu tinha muitos problemas. Eu não aparentava ser alguém que pudesse ministrar o evangelho. Mas a Bíblia diz que Deus pode tomar as pessoas que parecem fracas e tolas (1 Coríntios 1.27) e usá-las para confundir as sábias. Ele olha para nossos corações e não para nossa aparência exterior (1 Samuel 16.7).

Assim, embora nada houvesse externamente na Joyce Meyer "natural" para indicar que eu deveria acreditar na visão de Deus para minha vida e no desejo que Ele plantou em mim, apoiei-me em promessas como essas de 1 Coríntios e 1 Samuel e fui me enchendo com fé de que eu poderia fazer o que Deus queria que eu fizesse. Resisti à tentação de não acreditar na orientação de Deus. Quando Deus chama, Ele lhe dá o desejo, a fé e a habilidade para responder ao chamado.

Respondi ao meu chamado investindo anos de estudo e treinamento, esperando pelo momento certo para começar meu ministério. Durante esse tempo, o diabo regularmente me atacava tanto com a dúvida quanto com a incredulidade. A visão de Deus tinha sido plantada como uma semente em meu coração, assim como você planta uma semente num jardim. Enquanto a semente está germinando e crescendo até debaixo da superfície, Satanás trabalha arduamente para fazer você desenterrá-la. Ele lhe dirá que ela nunca crescerá ou que, se ela crescer, vai se tornar uma planta doente e frágil que o envergonhará, e assim você deveria arrancá-la ou mesmo ignorá-la e não se importar em alimentá-la e aguá-la.

Se você quer caminhar sobre as águas, saia do barco!

Se você já freqüentou uma escola dominical quando criança, provavelmente lembra-se da história dos discípulos de Jesus que estavam num barco, longe da terra, quando foram pegos numa violenta tempestade. O vento e o mar estavam golpeando o barco como um jogador chuta uma bola de futebol.

Então, em algum momento entre as três e seis da manhã, Jesus se aproximou deles, caminhando sobre o mar. Mesmo sendo pescadores experientes, os discípulos começaram a gritar como um bando de medrosos.

Eles pensavam que Jesus era algum tipo de fantasma marítimo, que vinha para aterrorizá-los.

Jesus gritou acima dos seus gritos: "Tende bom ânimo! Sou eu. Não temais"!

Pedro, talvez o mais impulsivo de todos os discípulos, gritou em resposta: "Se és tu, Senhor, manda-me ir ter contigo, por sobre as águas".

Jesus deu permissão a Pedro, ele pulou fora do barco e, para sua surpresa, começou a caminhar sobre as águas em direção a Jesus. Mas, então, ele começou a assustar-se com o forte vento e o mar agitado. Ele começou a afundar e pensava que iria morrer. Mas Jesus estendeu Sua mão, segurou a mão de Pedro e o trouxe de volta: "Homem de pequena fé", Jesus lhe disse, "por que duvidaste"?

Então Pedro e Jesus entraram no barco. Quando eles o fizeram, o mar se acalmou, e os nervos em frangalhos de Pedro também!

Podemos aprender muito com esse incidente. Foi necessária muita fé de Pedro para sair do barco. Note que nenhum dos outros discípulos tentou esse novo esporte radical: caminhada marítima da madrugada.

Mas, então, Pedro cometeu um erro. Ele começou a concentrar-se na tempestade ao seu redor em vez de olhar para o Salvador que estava à sua frente. A dúvida e a incredulidade o pressionaram e ele caiu como um aprendiz de surfista tentando equilibrar-se numa prancha.

Quando a tempestade chegar à sua vida, seja forte. Confie nas promessas de Deus e em seu eterno amor por você. O diabo traz tempestades em sua vida para intimidá-lo e assustá-lo. Ele quer que você olhe para as circunstâncias, "os fatos", e não para a visão de Deus para sua vida, uma visão que é maior do que qualquer circunstância!

Aqui está um exemplo que ilustra esse ponto: um amigo meu estava confuso quando se formou no seminário bíblico. Deus tinha colocado um desejo em seu coração de começar uma igreja em St. Louis, Missouri. Contudo, enquanto ele considerava seu chamado, ele também observou o fato de que tinha uma esposa, um filho e outro bebê a caminho. E todo seu orçamento para começar sua igreja era de aproximadamente US$50 em sua carteira.

As circunstâncias não pareciam estar levando-o a uma igreja. Ao mesmo tempo, ele recebeu ofertas atrativas de emprego para juntar-se à equipe de dois grandes e bem estabelecidos ministérios. Os salários eram bons e as oportunidades ministeriais eram muitas e atraentes. Além desses fatos, ele sabia que seria uma honra e uma grande bênção para seu currículo ser parte de tais ministérios.

Meu amigo tinha de decidir entre suas três opções de trabalho e, quanto mais ele ponderava, mais confuso se tornava. Sua mente estava assaltada pela dúvida. Logo após a formatura, ele sabia em seu coração exatamente o que deveria fazer, mas agora se encontrava confuso. Sua vida e circunstâncias financeiras não o favoreciam a seguir seu plano original. As duas ofertas eram tentadoras. Qual era a coisa certa a fazer?

Ele decidiu pedir um conselho a um pastor de um dos ministérios. Esse homem sábio lhe disse: "Vá algum lugar sossegado, aquiete-se e descanse sua mente. Olhe para o seu coração, veja o que está ali e faça isso!"

Seguindo o conselho do pastor, meu amigo rapidamente sentiu que seu coração estava em St. Louis e na igreja que ele queria começar ali. Ele não tinha idéia de como edificaria uma igreja com somente 50 dólares, mas ele seguiu em frente, obedecendo ao chamado de Deus.

Hoje, meu amigo é fundador e pastor principal de uma grande igreja e tem um ministério internacional também. Milhares de vidas têm sido abençoadas e transformadas por intermédio da sua igreja. Servi como pastora auxiliar ali por cinco anos e meu ministério *Vida na Palavra* começou ali, durante meu tempo trabalhando com esse amigo.

É verdadeiramente maravilhoso ver o que acontece quando seguimos a Deus e guardamos nossa mente contra as interferências da dúvida e da incredulidade.

Deus tem um grande plano para sua vida. Não deixe o diabo prender sua mente. Não o deixe roubar de você a paz e a realização que Deus quer que você desfrute. Para atingir esse alvo, você terá de ser durão, pode acreditar.

O trecho de 2 Coríntios 10.4-5 diz: "Porque as armas da nossa milícia não são carnais, e sim poderosas em Deus, para destruir fortalezas, anulando os sofismas e toda altivez que se levantar contra o conhecimento de Deus, e levando cativo todo pensamento à obediência de Cristo".

Note as palavras dessa passagem. Você deve demolir os argumentos e pretensões do diabo. Você não deve deixar qualquer tijolo permanecer sobre outro. Nenhum pensamento pode escapar dessa batalha. Você tem de tomar cada um deles e torná-los obedientes a Cristo.

Isso tudo pode soar bastante radical, mas lembre-se: você está numa guerra e não se luta uma guerra pela metade.

O estado da preocupação

Talvez você tenha aprendido como derrotar os inimigos da dúvida e incredulidade, os assuntos capítulo anterior, mas isso não significa que a batalha por sua mente esteja totalmente vencida. Satanás tem outros lugares perigosos que ele deseja levar você. Nesse capítulo focalizaremos um estado bastante sutil e perigoso: a preocupação.

Você já ouviu a respeito de pessoas que são viciadas em álcool, cigarros, drogas, jogo, comida, sexo e muitas outras coisas. Mas você sabia que alguém pode ser viciado em preocupação? É verdade, existem pessoas que são viciadas em se preocupar com a própria vida, e, quando elas não encontram coisas em sua vida para se preocupar, começam a se preocupar com a vida de seus amigos, parentes e vizinhos. Como sei disso? Eu era viciada em preocupação também, assim, sou bastante qualificada para descrever essa condição.

Houve uma época em minha vida em que eu me preocupava *constantemente*. Havia sempre algo me perturbando. Como resultado, eu nunca desfrutava a paz que Jesus morreu para me dar. É impossível preocupar-se e viver em paz ao mesmo tempo. Pense nisto: a *preocupação* é definida como um sentimento de apreensão, perturbação, ansiedade ou aflição. A preocupação também pode significar ser atingido por inquietações com murmuração. Eu também já ouvi que preocupação é descrita como um estado em que a pessoa se atormenta com pensamentos perturbadores.

Essa última definição foi chave para mim. Isso me ajudou a decidir forçosamente que eu era bastante esperta para *atormentar a mim mesma*. Eu creio que todo cristão é bastante esperto para permitir-se cair numa armadilha, sim. Simplesmente precisamos perceber que a preocupação nunca torna nada melhor. Nunca. Assim, por que desperdiçarmos tempo nos preocupando?

É a perda de tempo e o gasto de energia que fazem da preocupação uma arma tão efetiva nas mãos de Satanás. Se o diabo puder manter sua mente preocupada, você não usará sua mente de maneiras produtivas que honrem a Deus.

Jesus alertou contra esse tipo de preocupação. Em Mateus 6.25-27, Ele instrui: "Por isso, vos digo: não andeis ansiosos pela vossa vida, quanto ao que haveis de comer ou beber; nem pelo vosso corpo, quanto ao que haveis de vestir. Não é a vida mais do que o alimento, e o corpo, mais do que as vestes? Observai as aves do céu: não semeiam, não colhem, nem ajuntam em celeiros; contudo, vosso Pai celeste as sustenta. Porventura, não valeis vós muito mais do que as aves? Qual de vós, por ansioso que esteja, pode acrescentar um côvado ao curso da sua vida?"

Seria bom para todos nós observarmos alguns pássaros de hoje em diante, como Jesus nos instruiu. Notaríamos como nossos amigos voadores são cuidados por Deus. Eles não têm idéia de onde virá sua próxima refeição ou quando eles a terão. E, contudo, nunca vi um pardal sentado numa árvore e tendo uma crise nervosa por causa da preocupação.

Sei que alguns adolescentes lutam contra a baixa auto-imagem, mas certamente você pode acreditar que vale mais do que um pássaro, não é? E observe como Deus tem cuidado bem deles. E mais, nosso Pai celestial tem prazer, sim, prazer, em dar boas coisas aos seus filhos. Mas nós não seremos capazes de receber e desfrutar essas coisas se estivermos ocupados nos preocupando.

Se nos concentrarmos na preocupação sobre o amanhã, não poderemos viver e celebrar o dia de hoje.

O autor Max Lucado intitulou um dos seus livros como *Grace for the Moment* (Graça para Este Momento). É um bom título, porque é assim que a graça de Deus opera em nossa vida. A graça de Deus está sempre disponível para nos ajudar a lidar com qualquer coisa que estivermos enfrentando neste momento. Sua graça para amanhã chegará amanhã, quando precisarmos dela.

Temos visto que a preocupação é um estado ruim para se viver, mas quais são as armas para evitá-la? Aqui estão algumas interessantes:

1. *Fale a Palavra* — Recomendo insistentemente que você fale a Palavra de Deus em voz alta, quando a preocupação entrar em seu território. Você pode sentir que esse não é o seu estilo espiritual pessoal, ou pode achar-se tolo ao recitar ou ler um versículo em voz alta; mas tente. Afinal, a Bíblia é descrita como uma espada e durante um ataque uma espada não trará qualquer proveito se

estiver guardada na bainha. Por exemplo, você pode querer encorajar-se com as palavras de 1 Pedro 5.7: "Lançando sobre ele toda a vossa ansiedade [cuidados, preocupações, interesses, uma vez por todas], porque ele tem cuidado de vós (afetuosa e atenciosamente)." Aqui estão duas palavras que você pode dizer com uma ênfase extra:

- *Afetuosamente*: o cuidado de Deus por você brilha com genuíno amor. Ele não cuida de você como se isso fosse uma tarefa ou obrigação. Ele gosta de você; Ele o ama.

- *Atenciosamente*: Deus é diligente enquanto cuida de você. Ele não cochila ou se distrai se um grupo de anjos estiver jogando voleibol e fazendo muito barulho. Seus olhos amorosos seguem você por onde você for.

2. **Lance suas preocupações a Deus**: Satanás tentará lançar sobre você uma pilha de preocupações e estresse; felizmente, você não tem qualquer obrigação de carregá-las. Você se lembra do versículo sobre "lançar as ansiedades" sobre Deus? Quando leu isso, você pode ter pensado em "lançar" no sentido de colocar algo aos pés de Deus. Essa é uma imagem bonita, mas não é o que a Bíblia quis dizer aqui. Nesse caso, lançar as preocupações significa fazer um arremesso rápido. Não carregue as preocupações. Nem mesmo diga: "Da próxima vez que eu for à igreja ou ao grupo de jovens, lançarei essas preocupações a Deus. Talvez eu vá simbolicamente colocá-las aos pés do altar". Não espere: lance-as imediatamente a Deus. Creia nisto: Ele consegue agarrá-las e saberá o que fazer com elas.

3. **Descanse em Deus**: Dois artistas tiveram de pintar um quadro representando a paz. O primeiro pintou uma cena da natureza bastante tranquila, com um belo e sereno lago como seu foco. O outro pintou um galho de árvore estendido sobre uma forte e impetuosa cachoeira. Sobre o galho estava um pássaro em seu ninho, descansando na segurança do seu lar. O pássaro parecia compreender que em seu ninho ele estava seguro do perigo abaixo.

Qual quadro representa a paz e o descanso? O segundo. Pense sobre isto: o primeiro quadro é estático, parado. O segundo quadro verdadeiramente representa a paz, pois não é necessária qualquer paz se não houver oposição. Deus não removerá toda a oposição da sua vida, mas Ele lhe dará um sentimento de descanso e paz em meio às tempestades da vida. Assim, descanse no amor de Deus e em seu plano para sua vida. Ele suprirá as suas necessidades.

O estado do julgamento

Conheci uma mulher casada com um rico empresário. Esse homem era bastante quieto, e sua esposa queria que ele fosse mais expansivo. Ele era bem informado em muitos assuntos e sua esposa ficava irada quando eles saíam com amigos e ele não contribuía em nada com a conversa, embora o assunto fosse algo que ele dominasse completamente.

Certa noite, após voltarem de uma festa, sua mulher discutiu com ele: "Por que você não disse nada esta noite? Você simplesmente ficou ali sentado como morto! Nossos amigos vão pensar que você é estúpido ou ignorante. Você agiu como se não soubesse de nada que estava sendo conversado!".

O homem respondeu, "Eu já sei o que eu sei. Tento ficar quieto e ouvir os outros para que eu possa aprender o que os outros sabem".

Penso que essa atitude explica por que o homem era tão rico: ele era sábio; e poucas pessoas ganham riquezas sem sabedoria. Esse homem desejava sentar e ouvir o que as pessoas sabiam, o que elas pensavam, sem julgar ou criticar as idéias delas sobre um assunto.

Eu costumava ser uma pessoa crítica. Sempre parecia ser capaz de ver o que estava errado com algo ou alguém, ao invés de enxergar aquilo que estava certo.

Alguns tipos de personalidades são simplesmente mais tendentes a descobrir faltas do que outros. Aqueles que tendem a ser controladores freqüentemente vêem o que está errado com alguém à primeira vista e são bastante generosos em compartilhar suas críticas com outros.

Precisei perceber, como todos precisam, que cada pessoa é diferente. O que pode ser a atitude certa para mim pode não ser para meu amigo. Não estou falando sobre coisas universais aqui, como: "Ame o Senhor, teu Deus", mas sobre as milhares de escolhas pessoais que as pessoas fazem todos os dias. As pessoas têm direito de fazer essas escolhas sem interferência de outros.

Por exemplo, meu marido e eu pensamos diferentemente a respeito de uma série de coisas, tal como a decoração de uma casa. Se vamos juntos comprar algumas coisas para nossa casa, parece que Dave sempre gosta de algo diferente daquilo que eu gosto. Por quê? Simplesmente porque somos pessoas diferentes. A opinião dele é tão boa quanto a minha e vice-versa.

Isso parece um conceito fácil, mas levou anos para que eu compreendesse que Dave não tinha nada errado com ele simplesmente porque não concordava comigo em tudo. E eu não era nenhum pouco discreta em comentar com Dave como eu achava que ele estava errado. Minha atitude criava uma série de contendas entre nós que prejudicavam nosso relacionamento.

O julgamento e a crítica são frutos de um problema profundo: o orgulho. A Bíblia repetidamente alerta contra a altivez de mente e uma opinião elevada a respeito de nós mesmos. Se somos orgulhosos, tendemos a olhar para os outros de uma posição superior e avaliá-los como inferiores a nós. Colocando de forma simples: o Senhor detesta essa atitude.

Gálatas 6.3 diz: "Porque, se alguém julga ser alguma coisa [tão importante para igualar-se ao nível de outro], não sendo nada [a não ser em sua própria opinião], a si mesmo se engana [se ilude]".

Suponha que seu vizinho venha até sua casa e diga: "Sabe, não gosto da forma como você é; você se veste forma diferente e faz algo estranho com seu cabelo. Sua aparência simplesmente não me agrada. E, enquanto você morar aqui, procure alguns amigos mais legais. As pessoas com quem você anda parecem um bando de malucos. Ah, mais uma coisa: sua casa é feia também".

Como você responderia? Você já foi julgado assim? Ou já fez algum julgamento desse tipo?

Eu já. Eu costumava me distrair ao sentar num parque ou no shopping observando as pessoas que passavam, formando opiniões sobre elas: suas roupas, penteados, companhias e assim por diante. Agora, não podemos sempre evitar nossas opiniões, mas não temos de expressá-las e machucar os outros. Não temos de agasalhar tais opiniões até que elas se tornem julgamentos.

Também creio que podemos crescer e amadurecer a ponto de não estarmos mais formulando tantas opiniões negativas sobre as pessoas ao nosso redor. Podemos controlar mais e mais essa área da batalha da nossa mente.

Freqüentemente me encontro dizendo: "Joyce, isso não é da sua conta".

Uma grande maneira de lutar para sair desse estado de julgamento é confiar na grande arma para combatê-lo: o amor.

Temos a habilidade de amar os outros e um mandamento de Deus para usar essa habilidade. Se vivermos uma vida de amor, nós nos protegeremos de cair numa atitude julgadora e orgulhosa.

Provérbios 16.24 diz: "Palavras agradáveis são como favo de mel: doces para a alma e medicina para o corpo".

Todos nós cometemos erros e temos fraquezas, mas, em vez de termos um coração duro ou um padrão de pensamento crítico em relação aos outros, a Bíblia nos instrui a perdoar uns aos outros, mostrarmos misericórdia e falarmos palavras de amor e encorajamento.

Você descobrirá que ao procurar encontrar o que é bom nos outros e falar palavras agradáveis, não terá tempo ou inclinação para julgá-los. E descobrirá que, quando sua atitude muda, sua alegria aumenta.

Jesus quer que você desfrute a vida. Julgamento e crítica nunca trazem alegria. Mostrar amor o faz. A escolha é sua.

O estado da passividade

Você já deve ter ouvido algo como "Você precisa estudar/exercitar-se/ir à igreja/arrumar seu quarto" e ter respondido: "Mas não estou com vontade!"

Muitas pessoas, mesmo aquelas que crêem em Deus, são tão passivas em sua maneira de viver que a meta ausência de vontade é tudo de que elas precisam para impedi-las de fazer o que deveriam fazer. Elas vão à igreja quando sentem vontade. Elas louvam a Deus somente quando as emoções estão em alta. Elas dão algum tempo ou dinheiro para ajudar alguém somente quando estão se sentindo generosas.

Efésios 4.27 alerta que não devemos dar "lugar ao diabo", mas muitas pessoas não percebem esta verdade vital: um espaço vazio é um lugar. Em outras palavras, uma mente passiva é como uma fortaleza desguarnecida. O inimigo pode facilmente invadi-la e vencer a batalha por sua mente. Satanás não precisa, necessariamente, que sua mente seja corrompida e cheia de pensamentos ruins, motivações impuras e mentiras. Uma mente preguiçosa e desocupada já o satisfaz.

Por exemplo, uma pessoa pode dizer a si mesma: *Estou agindo muito bem. Não penso coisas ruins sobre os outros e não critico ninguém, e assim eu me protejo.*

O problema com esse tipo de pensamento é que existem os pecados agressivos, pecados de ação, e existem os pecados passivos, pecados de omissão. Palavras duras e odiosas têm estragado muitos relacionamentos, mas casamentos e amizades também têm sido destruídos pelo silêncio frio, ou seja, palavras amáveis e saudáveis que nunca foram pronunciadas.

Destruindo a passividade

Anos atrás, meu marido tinha um problema de passividade. Ele foi uma pessoa ativa em algumas fases de sua vida. Ele trabalhava todos os dias e jogava golfe aos sábados (como eu já disse antes, ele também era um disciplinado telespectador de esportes aos domingos à tarde).

Mas, além dessas atividades, Dave não tinha motivação para mais nada. Se eu precisasse que ele pintasse algo, levaria três a quatro semanas para ele fazê-lo. Essa passividade criou muita tensão entre nós. Parecia que ele fazia somente o que ele queria, e nada além disso.

Ele amava ao Senhor e buscava orientação divina para o seu problema. Deus lhe revelou que a passividade dele era parte do plano de batalha de Satanás. Em algumas áreas de sua vida, Dave tinha cedido território ao inimigo.

Dave era também passivo quando se tratava de estudar a Bíblia e orar. Eu estava consciente dessa fraqueza, e era muito difícil para mim ouvi-lo e respeitar-lhe a opinião. Eu tinha um problema com rebelião também, e você pode imaginar como o diabo usava nossas fraquezas contra nós. Dave me dizia que eu sempre queria correr 10 mil quilômetros à frente de Deus. E eu contra-atacava dizendo que ele estava a 10 mil quilômetros na retaguarda. Muitas pessoas têm se divorciado por causa desse tipo de problemas que nós tínhamos.

Felizmente, o Espírito de Deus revelou a Dave como o inimigo estava oprimindo-o por meio da sua passividade. Dave determinou em seu coração e mente que ele novamente se tornaria mais ativo em todas as áreas de sua vida.

Ele começou a acordar às 5 da manhã para ler a Bíblia e orar antes de ir trabalhar. A batalha prosseguia, e não foi fácil. Satanás não queria desistir do terreno que ele tinha conquistado, e assim fez o que podia para enfraquecer a vontade de Dave. Algumas vezes, ele acordava mais cedo e, então, adormecia no sofá, um pouco mais tarde. Mas mesmo nessas manhãs quando a fadiga tirava vantagem dele, ele sabia que estava fazendo progressos, simplesmente porque ele fez o esforço de sair da cama e fortalecer sua vida espiritual.

Algumas vezes, ele permanecia acordado, mas entediado com seu estudo ou por não conseguir compreender um versículo em particular. Outras vezes, ele se perguntava se suas orações estavam fazendo efeito. Mas ele se lembrava daquilo que o Espírito Santo lhe revelara sobre sua passividade e permanecia se esforçando para progredir.

Finalmente, comecei a notar que quando precisava que Dave fizesse uma pintura ou consertasse alguma coisa na casa ele respondia imediatamente. Ele se tornou mais decidido. A nova disciplina em sua vida espiritual estava se manifestando em outras áreas.

Devo ser honesta e dizer que a mudança de um comportamento passivo para ativo não foi fácil para Dave. Exigiu muitos meses; não foram apenas dias ou semanas.

Mas meu marido persistiu e agora ele não é mais uma pessoa passiva. Ele é o administrador do ministério Joyce Meyer, supervisionando toda a parte de rádio e TV. Ele também cuida da parte financeira do ministério. Ele viaja o tempo inteiro comigo e toma decisões sobre nossa agenda de viagens.

Ele também é um excelente homem de família. Ele ainda joga golfe e assiste a esportes às vezes, mas faz outras coisas que deveria fazer, também.

Conhecendo-o agora e vendo tudo o que Dave está realizando, ninguém ao menos imaginaria que ele já lutou contra a passividade.

O que Dave aprendeu é que ações corretas seguem pensamentos corretos. É impossível sair do comportamento errado sem primeiramente mudar seus pensamentos. Uma pessoa passiva pode, genuinamente, desejar fazer a coisa certa, mas ela nunca a fará até que ative sua mente e a discipline a focar-se na Palavra e na vontade de Deus.

Por exemplo, um homem, em um dos meus seminários, aproximou-se e compartilhou um problema: ele era prisioneiro da luxúria. Ele amava sua esposa e não queria que seu casamento fosse destruído, mas ele não podia evitar olhar para (e tocar em) outras mulheres. "Joyce", ele disse, "eu simplesmente não consigo me afastar de outras mulheres. Você pode orar por minha libertação? Já orei muitas vezes, mas pareço não ter feito qualquer progresso".

Aqui está o que o Espírito de Deus colocou em meu coração para dizer àquele homem: "Sim, eu orarei por você, mas você deve ser responsável por aquilo que está passando na tela da sua mente. Você não pode ficar meditando em cenas pornográficas em sua mente ou imaginando-se com essas outras mulheres, se você quer mesmo desfrutar a liberdade".

Você não pode se entreter com pensamentos errados ou impuros em sua mente e experimentar um rompimento libertador em sua vida. Sua mente não pode ser um *playground* para o pecado. Jesus destacou isso em Mateus 5.27-28: "Ouvistes que foi dito: Não adulterarás. Eu, porém, vos digo: qualquer que olhar para uma mulher com intenção impura, no coração, já adulterou com ela".

Se você tem uma tendência à passividade, tome a iniciativa. Tome uma atitude. Não fique simplesmente esperando que as coisas melhorem por si mesmas ou à medida que você amadurece. Tome decisões. Assuma compromissos. Planeje-se a evitar o pecado.

Se você quer desfrutar a boa vida que Deus planejou para você, mantenha sua mente concentrada em boas coisas. Não deixe pensamentos prejudiciais rastejarem para sua mente e nem brinque com eles se surgirem.

Se você verdadeiramente deseja vitória sobre seus problemas, deve ter *uma atitude*, não apenas *um desejo*. Seja ativo, não passivo. Você agirá da forma certa quando pensar da forma certa. Não seja passivo em sua mente. Comece a escolher pensamentos certos imediatamente!

PARTE QUATRO

Zonas de perigo mental

INTRODUÇÃO

Agora que nossa viagem por alguns "estados" indesejáveis está completa, é tempo de ir além, visitando as "cidades", ou seja, as atitudes específicas nesses estados mentais.

Se sua mente estiver em algum desses lugares que descreverei neste capítulo, isso afetará negativamente sua vida interior e suas circunstâncias exteriores. Você pode até mesmo estar no caminho da "Terra Prometida" e não desfrutar a jornada se sua mente não estiver bem.

Por exemplo, posso lembrar de um tempo quando minhas circunstâncias eram realmente muito boas. Dave e eu tínhamos uma casa bonita, três filhos adoráveis, bons empregos e dinheiro suficiente para vivermos confortavelmente.

Mas eu não conseguia desfrutar as minhas bênçãos por causa de alguns padrões de pensamento prejudiciais que me atormentavam. Minha vida me parecia um deserto pela forma que eu enxergava as coisas. Eu estava morrendo no deserto, mas Deus, em sua misericórdia, fez uma luz brilhar em minhas trevas e me guiou para fora.

Oro para que essa seção seja uma luz para sua vida, libertando-o(a) das zonas de perigo e preparando-o(a) para sair do deserto rumo à gloriosa luz de Deus.

"Não quero assumir a responsabilidade por minha vida espiritual. Isso não é obrigação dos meus pastores e dos meus pais?"

Durante seu tempo de escola, um adolescente freqüentou o acampamento de uma igreja todo verão. O acampamento sempre terminava ao redor de uma fogueira, onde as pessoas podiam compartilhar o que estava no coração de cada um, confessar pecados, pedir oração e louvar a Deus por algo.

Na primeira vez em que participou dessa fogueira, esse garoto aproximou-se das chamas e jogou nela um maço de cigarros. Chorando, ele compartilhou como tinha sido viciado em cigarros e que, ao "lançá-los no fogo", ele estava demonstrando que voltava a dedicar sua vida a Deus.

No verão seguinte, a mesma coisa aconteceu. A única diferença é que ele tinha mudado a marca de cigarros durante o ano.

O terceiro verão finalmente chegou, houve outra fogueira e... você já sabe. Aquilo já estava se tornando uma triste piada entre seus companheiros de acampamento.

Certamente não podemos julgar esse rapaz. É fácil ficarmos emocionados e cheios de boas intenções a princípio, quando Deus fala conosco e nos leva a fazer ou a parar de fazer algo. E uma vez que as emoções se acalmam e percebemos que há mais coisas envolvidas do que uma empolgação temporária e algumas lágrimas, muitos de nós não terminamos o que começamos.

Muitas novas atitudes são excitantes simplesmente porque são algo novo. E essa empolgação o ajudará a estabelecer os passos iniciais, mas não o levará à linha de chegada. Exige perseverança e senso de responsabilidade terminar o que você começou.

O adolescente da nossa história não foi capaz de assumir a responsabilidade por suas ações. Os conselheiros e os pregadores do acampamento o inspiraram. Eles o motivaram a tomar uma decisão, mas era sua responsabilidade ir além dessa decisão, e foi aí que ele falhou.

Houve um momento em sua vida quando você não tinha qualquer responsabilidade. Você era jovem demais para se lembrar disso: foi quando você nasceu. Cada simples necessidade era suprida por outra pessoa, mas, à medida que você crescia, esperava-se que você tivesse mais e mais responsabilidades.

Agora mesmo, você pode ter um pai, irmão, professor ou treinador que faz algumas coisas para você, mas em outras coisas você deve assumir seu papel.

O mesmo acontece com Deus. Ele deseja ensinar seus filhos a ter responsabilidade. E quanto mais dons espirituais e oportunidades Ele conceder a você, mais esperará que você faça algo com isso.

O Senhor tem me dado uma maravilhosa oportunidade de estar no ministério em tempo integral para ensinar sua Palavra por meio de uma rede nacional de TV e rádio, para pregar o evangelho por todo o mundo e escrever livros que são lidos por milhões de pessoas. Mas posso lhe assegurar que há o lado da grande responsabilidade em fazer tudo isso, o que é algo que muitas pessoas desconhecem. Um ministério como o nosso não é um grande evento em curso da mídia.

Muitas pessoas desejam trabalhar conosco, pensando que seria uma grande coisa ser associado com um grande ministério cristão. Tempos depois, algumas delas se decepcionam ao descobrir que terão de trabalhar aqui como em qualquer outro lugar. Elas terão de acordar cedo, chegar no horário no trabalho, cumprir suas tarefas diárias e obedecer aos seus chefes.

Quando as pessoas vêm trabalhar conosco, eu lhes digo antecipadamente que não ficamos o dia inteiro flutuando em nuvens e cantando "Aleluia". Trabalhamos. E trabalhamos duro. Trabalhamos com integridade e fazemos nosso trabalho com excelência. Certamente, é um privilégio trabalhar como parte de um ministério, mas costumo enfatizar aos novos funcionários que, quando a empolgação terminar, ainda estaremos aqui, esperando altos níveis de responsabilidade.

Deus espera a mesma coisa. Ele quer que você se mantenha vivendo por Ele mesmo quando a empolgação se for.

Provavelmente, algumas pessoas o encorajarão em sua vida cristã, mas eles nem sempre estarão por perto. Como um corredor de longa distância, você terá de ser capaz de incentivar a si mesmo quando ninguém mais estiver ao seu lado ou gritando "Bom trabalho!" aos seus ouvidos no final de cada corrida.

Todos nós devemos nos tornar motivados interiormente. Devemos viver nossa vida diante de Deus sabendo que Ele vê todas as coisas e que nossa recompensa vem dEle, se formos responsáveis em fazer o que Ele quer que façamos.

"Meu futuro é determinado pelo meu passado e pelo meu presente"

Como você já viu em alguma parte deste livro, vim de um passado de abuso. Fui criada num lar desestruturado e minha infância foi cheia de medo e tormento. Talvez você possa ter experimentado isso.

Provavelmente, já deve ter ouvido de psicólogos e conselheiros que a personalidade de uma criança é formada nos seus primeiros cinco anos de vida. Como você pode imaginar, então, minha personalidade era uma confusão total! Eu vestia uma máscara de valentia para ocultar meu medo e construí muros de proteção ao meu redor para impedir que as pessoas me machucassem mais. Tranquei as pessoas fora do meu coração e, como resultado, fiquei trancada sozinha do lado de dentro.

Aqui está uma outra forma como lidei com meu medo e as minhas feridas: tornei-me uma pessoa controladora. Eu acreditava que a única forma de sobreviver era permanecendo no controle. Se eu pudesse controlar relacionamentos e circunstâncias, eu pensava, ninguém poderia me machucar novamente.

Isso soa familiar para você ou se parece com a atitude de alguém que você conhece?

Quando me tornei uma jovem, realmente tentei viver para Cristo, seguindo seus ensinos, mas era uma luta. A nuvem do meu passado permanecia sobre mim, tornando difícil enfrentar o futuro com otimismo. Eu pensava: *Como alguém com meu tipo de passado realmente pode dar certo? É impossível!*

À medida que eu lia a Bíblia e orava, contudo, percebia que Jesus dizia que Ele curava o enfermo, o quebrantado de coração, o ferido. Eu estava numa prisão, mas Jesus veio abrir as portas e me tornar livre. A especialidade dEle é ajudar pessoas como eu. Ele me deu uma visão positiva para minha vida. Ele me levou a crer que meu futuro não seria determinado pelo que tinha acontecido no meu passado ou que estava acontecendo no presente.

Como eu, você pode ter enfrentado um passado miserável e as circunstâncias em que está agora podem lhe dar pouca razão para ter esperanças, mas eu lhe digo, ousadamente: *seu futuro pode ser cheio de alegria, significado e paz.* Eu sou prova viva disso, e você pode ser também.

Assim, adote um novo padrão de pensamento. Creia que com Deus todas as coisas são possíveis. Lembre-se: Ele criou todo o Universo a partir do nada! Assim, se você acredita que você é nada, entregue seu nada para Ele e observe o que Ele fará! Tudo o que é necessário é ter fé. Creia, atire-se nos braços de amor de Deus, e Ele fará o restante.

Aqui está uma das coisas mais legais que pode acontecer quando você permite que Ele transforme um passado obscuro e triste num futuro brilhante: você pode quebrar os padrões destrutivos que têm prejudicado seus relacionamentos familiares.

Se você teve um relacionamento doentio com um dos seus pais ou padrastos, você pode dizer: "Isso terminará aqui". Por exemplo, se você tem sido constantemente criticado ou ridicularizado, pode resolver falar palavras de esperança e encorajamento aos membros da família que você tem agora e àqueles que terá algum dia. Você pode ajudar a criar uma herança de luz onde até aqui tem havido apenas trevas.

À medida que você reverte esses padrões destrutivos, dando aos outros as coisas que você deseja, você descobrirá que isso trará uma cura extraordinária para sua vida.

"Ou é do meu jeito, ou nada feito"

Você já deve ter ouvido pastores ou educadores reclamando: "Hoje os adolescentes estão mais teimosos e rebeldes do que nunca".

Imagino que essa questão seja excelente para uma discussão, mas, através da história, houve muitos, muitos grupos que poderiam ser fortes candidatos para o título de "Os mais Teimosos". Por exemplo, o Antigo Testamento é cheio de histórias sobre os israelitas e suas contínuas rebeliões contra Deus. Muitas vezes eles, desafiadoramente, voltavam as costas a Deus e, então, lamentavam-se com Ele quando estavam em problemas. Em seguida, eles obedeciam por um tempo, até que suas circunstâncias melhoravam, e eles se esqueciam de como tinham sido miseráveis quando viviam em desobediência. Depois de algum tempo, os israelitas voltavam a se rebelar novamente, e todo o ciclo se repetia. É quase inacreditável que, após experimentarem grandes bênçãos e terríveis castigos tantas vezes, essas pessoas ainda não tinham conseguido aprender a lição.

Talvez você possa se identificar com os israelitas. Você quer controlar sua própria vida e está feliz em obedecer a Deus enquanto Ele não atrapalhar seus planos. Posso me identificar com você.

Creio que nasci com uma personalidade forte e fui destinada a me tornar uma pessoa do tipo "faça do meu jeito", não importa que tipo de conhecimento tenha sobre o assunto. Mas os anos que passei sendo abusada e controlada simplesmente adicionaram mais lenha ao fogo da minha rebelião. Eu não confiava em pessoas que estivessem numa posição de autoridade, e me ressentia com elas. Eu me tornei uma pessoa que resistia à correção, desobedecia a regras e era difícil de ser liderada. Minha atitude era simples: ninguém vai me dizer o que fazer!

Obviamente, Deus teve de lidar com minha atitude antes que pudesse me tornar uma efetiva serva para Ele. Deus não poderia trabalhar com o barro que não é moldável nem flexível. Eu não podia permitir que meu passado se tornasse uma desculpa para resistir à obra de Deus em minha vida.

Para viver a vida de vencedora, tive de mostrar prontidão e obediência irrestrita a Deus em todas as coisas.

À medida que trabalhei rumo a esse alvo, descobri que a obediência é um processo. À medida que eu colocava de lado minha vontade para fazer a vontade de Deus, percebi a habilidade em obedecer crescendo progressivamente.

É importante continuarmos a nos aprimorar na habilidade de obedecer, porque Deus requer nossa obediência em todas as coisas. Não podemos impedir o acesso de Deus a qualquer área de nossa vida. Não podemos fechar qualquer porta a Ele.

Eis por que a total obediência a Deus é tão vital. Muitos estudiosos da Bíblia concordam que o rei Salomão, como um homem a quem Deus deu mais sabedoria do que a qualquer outro, escreveu o livro de Eclesiastes. Salomão era o garoto esperto número um.

Infelizmente, Salomão cometeu muitos erros trágicos em sua vida e desperdiçou muito do seu tempo numa vida miserável, a despeito de ter sido maravilhosamente rico e poderoso. No início do livro de Eclesiastes, ele reclama: "Vaidade de vaidades, tudo é vaidade." (veja Eclesiastes 1.2).

Pouco depois, ele começa a mencionar o que ele entende por vaidade ou coisas inúteis. Aqui está a lista de Salomão com relação às oito coisas que são vaidade ou sem sentido:

1. Sabedoria
2. Prazer
3. Tolice
4. Trabalho
5. Progresso
6. Riquezas
7. Juventude, vigor
8. Tudo mais

(E você pensava que alguns dos seus amigos é que são desanimados.)

Podemos aprender uma lição valiosa com Salomão. Ele era um homem verdadeiramente sábio e sua sabedoria era um dom de Deus. Infelizmente, ele não utilizou muito bem esse dom. Ele se tornou um homem rico e poderoso e cercou-se de belas mulheres, mas ele se esqueceu de fazer uma coisa muito importante: obedecer humildemente a Deus.

Salomão queria fazer as coisas do seu jeito; viver de acordo com sua vontade. Como resultado, ele enfrentou muito desespero desnecessário; a despeito de ter possuído todas as possessões materiais que um homem poderia desejar.

Felizmente, esse sábio finalmente caiu em si. Eclesiastes é um livro um pouco deprimente, mas termina com um grande conselho para todos nós:

> De tudo o que se tem ouvido, a suma é: Teme a Deus e guarda os seus mandamentos; porque isto é o dever de todo homem. Porque Deus há de trazer a juízo todas as obras, até as que estão escondidas, quer sejam boas, quer sejam más.
> Eclesiastes 12.13-14

Deixe-me colocar em minhas próprias palavras o que entendi com esse versículo: o propósito verdadeiro da criação do homem é que ele reverencie e adore a Deus ao obedecer-lhe. Todo caráter piedoso deve ser firmado na obediência. Essa é a base de toda a felicidade. Ninguém pode ser verdadeiramente feliz sem ser obediente a Deus. Tudo em nossa vida que está fora de ordem será ajustado por meio da obediência. Obediência é a obrigação de toda a humanidade.

Da próxima vez que você for tentado a fazer as coisas do seu jeito, considere essas palavras de Salomão. A obediência é responsabilidade de cada individuo diante de Deus.

A obediência se torna muito mais importante quando percebemos que nossa escolha em obedecer ou desobedecer a Deus não apenas afeta nossa vida, mas afeta a vida de outros, possivelmente muitos outros. Pense novamente nos israelitas do Antigo Testamento. Muitos deles morreram no deserto sem alcançar a Terra Prometida que buscaram por anos e anos, e isso foi trágico. Mas o que é mais trágico é que muitos filhos dessas pessoas morreram no deserto também, como resultado da desobediência de seus pais.

O mesmo tipo de coisa acontece em sua vida. Suas decisões afetam outras pessoas: sua família, seus amigos, seus colegas de classe, seus colegas de time e assim por diante. Esses efeitos podem ser positivos ou negativos.

Recentemente nosso filho mais velho me disse: "Mamãe, tenho algo a lhe dizer e sei que posso chorar, mas me ouça. Tenho pensado sobre você e papai nesses anos todos que vocês têm dedicado ao seu ministério, e todas as vezes que vocês escolheram obedecer a Deus e como isso nem sempre foi fácil para vocês. Percebo, mamãe, que você e papai têm passado por coisas que ninguém sabe, e quero que você saiba que nesta manhã Deus me fez ver que sou grandemente abençoado por sua obediência, e queria lhes agradecer por isso".

O que meu filho disse significou muito para mim, e isso me lembrou de Romanos 5.19: "Porque, como, pela desobediência de um só homem, muitos se tornaram pecadores, assim também, por meio da obediência de um só, muitos se tornarão justos".

Jesus deu o exemplo máximo de como a obediência de alguém pode abençoar a vida de outros. Ao ser obediente a ponto de sacrificar sua vida na cruz, Ele salvou toda a humanidade.

Você não tem de carregar o peso do mundo inteiro, mas há pessoas em sua vida que você pode tirar do deserto (do negativismo, da rebelião, da apatia, ou qualquer outra coisa) por sua obediência ou mantê-los vagando a esmo como resultado da sua desobediência.

Obediência é algo de longo alcance. Ela pode fechar as portas do inferno e abrir as janelas de céus.

"A vida é muito difícil para mim. Deus não poderia tornar as coisas mais fáceis?"

A cena acontece freqüentemente em nosso ministério: uma pessoa se aproxima de mim buscando conselho e oração. Eu lhe digo o que a Palavra de Deus aconselha sobre a situação. Ela responde: "Ouvi o que você está dizendo, Joyce. Deus tem me mostrado a mesma coisa. Mas, o que Deus quer que eu faça é simplesmente muito difícil"!

Deus tem me mostrado que Satanás freqüentemente tenta injetar essa mentira na mente das pessoas, numa tentativa de fazê-las desistir.

Eu costumava acreditar nisso também, mas poucos anos atrás, quando Deus revelou essa tática particular do inimigo, o Senhor me ensinou a parar de me queixar sobre quão difícil tudo parecia. Deus me mostrou que, se eu simplesmente permanecesse Lhe obedecendo, as coisas ficariam mais fáceis. Ele me levou a Deuteronômio 30.11, que assegura: "Porque este mandamento que, hoje, te ordeno não é demasiado difícil, nem está longe de ti"!

Tendemos a tornar as coisas mais difíceis do que elas precisam ser ao reclamarmos enquanto as fazemos. O negativismo suga a nossa energia e a atitude positiva que precisamos para seguir em direção aos nossos alvos. Mas Deus está do nosso lado, nos dizendo que a vontade dEle não é tão difícil para nós seguirmos e que a realização das nossas esperanças não está tão distante como algumas vezes nos parece.

Verdadeiramente, Deus pode levá-lo a atravessar uma estrada difícil, com obstáculos na caminhada e algumas inclinações que exigiram esforços, mas Ele estará com você a cada passo do caminho, dando-lhe a força de que você precisa: força mental, física e espiritual.

"A vida é muito injusta; isso não me dá o *direito* de reclamar?"

E studei esses versículos por anos:

> *Porque isto é grato (é aprovado, aceitável e digno de gratidão), que alguém suporte tristezas, sofrendo injustamente, por motivo de sua consciência para com Deus. Pois [afinal] que glória há, se, pecando e sendo esbofeteados por isso, o suportais com paciência? Se, entretanto, quando praticais o bem, sois igualmente afligidos e o suportais com paciência, isto é grato (aceitável e agradável) a Deus.*
> 1 Pedro 2.19-20

Eu tentava compreender por que agradava tanto a Deus me ver sofrer. Afinal, a Bíblia não diz que Jesus carregou meus sofrimentos e dores? Se isso era verdade, por que eu ainda sofria tanto?

Finalmente, percebi que o sofrimento não era o ponto central dessa passagem, mas a *atitude* daquele que está passando pelo sofrimento. Se alguém nos trata injustamente, agrada a Deus se nós reagirmos com paciência. Pense sobre essas palavras cuidadosamente. Deus não se agrada quando sofremos, mas fica atento à nossa atitude diante do sofrimento.

Jesus é o nosso exemplo nisso. Pedro nos diz que Jesus foi "insultado, ultrajado" e "abusado". Mas Ele não ultrajou e insultou a ninguém como resposta a isso. Pelo contrário, Ele confiou cada circunstância a Deus, seu Pai celestial.

Jesus sofreu corajosa e gloriosamente. Ele não reclamou, embora cada um dos sofrimentos que Ele tenha enfrentado fosse injusto. Ele é nosso exemplo de como lidar com a vida quando ela for dura e injusta.

Algo aconteceu em minha família algum tempo atrás que ilustra bem isso. Nosso filho, Daniel, retornou de uma viagem missionária à República Dominicana com uma grave doença de pele e várias feridas abertas nos braços. Aparentemente ele tivera um encontro com a versão dominicana de alguma erva venenosa.

Os braços de Daniel pareciam tão feridos que percebemos que precisávamos levá-lo ao médico da nossa família. Ligamos para o consultório e descobrimos que nosso médico estava fora naquele dia. Assim, marcamos uma consulta com seu assistente. Nossa filha Sandra marcou a consulta. Ela explicou que Daniel era ainda de menor idade e que ela o levaria ao consultório.

Sandra viajou por 45 minutos até o consultório somente para ouvir de uma enfermeira: "Oh, lamento, mas a nossa política é não atender menores desacompanhados dos pais".

Sandra explicou que ela tinha ligado anteriormente, avisando que ela levaria seu irmão como freqüentemente fazia, porque seus pais trabalhavam e viajavam muito profissionalmente.

A enfermeira permaneceu firme: sem pais, sem atendimento.

Sandra poderia ter facilmente criado uma confusão, afinal ela acrescentara esse compromisso a um dia já sobrecarregado. Seu irmão estava doente, precisava de ajuda e parecia que ela tinha dirigido por 90 minutos para nada. A situação parecia uma colossal e frustrante perda de tempo.

Mas Sandra permaneceu calma e amorosa. Ela ligou para seu pai, que estava visitando a mãe dele naquele momento. Ele disse que iria até o consultório e cuidaria da situação. Pela manhã, ele tinha sentido que deveria parar em nosso escritório e escolher alguns dos meus livros e tapes, embora ele ainda não tivesse idéia do que iria fazer com aquilo.

Ele chegou ao consultório, e a mulher que o ajudou a preencher os formulários de Daniel perguntou se ele era um pastor e se ele era o marido de Joyce Meyer. Ele lhe disse que sim, e ela lhe contou que ela tinha me visto na TV. Eles conversaram por um tempo e Dave terminou lhe dando um dos meus livros sobre cura emocional em resposta a uma necessidade que ele sentiu na vida dela.

Assim, as necessidades de duas pessoas foram supridas naquele dia: a necessidade física de Daniel e a necessidade emocional daquela atendente do consultório.

Aqui está o ponto principal da história: e se Sandra tivesse perdido a paciência com a enfermeira e começado a reclamar e protestar, que tipo de impressão ela teria causado naquele consultório? Pense sobre a mulher do atendimento. E se ela tivesse me visto na TV, falando sobre desenvolver uma atitude positiva, enquanto alguém da minha família arrumasse uma grande confusão em público?

Muitas pessoas do mundo de hoje estão tentando encontrar a Deus, e o que lhes *mostramos* é muito mais importante do que o que lhes dizemos. Certamente, precisamos falar sobre as Boas Novas, mas falar e em seguida negar o que dizemos com um comportamento ruim é pior do que nunca dizermos nada.

Sandra suportou sofrimento e frustração com paciência, exatamente o que a Palavra de Deus nos chama a fazer.

Vivemos no mundo da reclamação?

Você já percebeu que o mundo inteiro parece estar reclamando? Você já notou as longas filas que existem por aí e ouviu todas as reclamações que acontecem até que as pessoas finalmente cheguem à sua vez na frente da fila?

Há muita reclamação, queixas e murmurações hoje em dia e pouca gratidão e apreciação. Você ouve seus amigos reclamando da

escola, da família, da falta de dinheiro e de seus outros "amigos"? Você até se pergunta se porventura eles não reclamam de você quando você não está por perto.

Eu viajo por todo o mundo e quero lhe dizer que existem pessoas que estão morando em um albergue agora mesmo ou permanecendo numa fila por um prato de sopa e amariam trocar de vida com esses seus amigos murmuradores.

Você já ouviu um dos seus pais reclamar sobre o "chefe", "as longas horas de trabalho" ou "o salário ruim"? Conheço muitas pessoas pobres que amariam ter um chefe ruim como aquele apenas para ter um emprego, qualquer emprego.

Filipenses 4.6 nos alerta: "Não andeis ansiosos de (nem se aflijam por) coisa alguma; em tudo (em cada circunstância), porém, sejam conhecidas, diante de Deus, as vossas petições (pedidos definidos), pela oração e pela súplica, com ações de graças".

Nesse versículo, o apóstolo Paulo nos diz como enfrentar os problemas da vida: com ações de graça em *cada* circunstância. Note como essas palavras são cuidadosamente enfatizadas. Paulo não está dizendo que é necessário sermos grato *por* todas as circunstância, mas *em* todas as circunstâncias.

Assim, você não tem de orar: "Deus, obrigado por essa perna quebrada. Eu realmente amo pernas quebradas. Eu sempre quis ter uma. Pernas quebradas são demais! Ei, o Senhor poderia quebrar a outra, também"?

Pelo contrário, enquanto você enfrenta essa perna quebrada e o processo de cura, você não precisa focar somente em sua perna. Você pode manter sua vida em perspectiva e agradecer a Deus por todas as coisas que estão correndo bem em sua vida. Você Lhe agradece por sua enfermidade não ser algo pior.

O Senhor me ensinou esse princípio desta forma: "Joyce, por que Eu lhe daria as coisas que você está pedindo? Você não é grata por aquilo que já tem. Você está cheia de ansiedade pelas coisas que já lhe dei. Por que eu deveria lhe dar algo mais para reclamar"?

Ele me mostrou que, se eu não pudesse oferecer pedidos de oração de uma vida edificada na gratidão, eu não teria uma resposta favorável. Nem você. Deus não disse: "Ore com reclamações". Ele disse: "Ore com ações de graça".

Lembre-se, a verdadeira paciência não é simplesmente a habilidade de esperar. Pense novamente naquelas longas filas no comércio. As pessoas estão esperando, mas muitas delas estão esbravejando, amaldiçoando silenciosamente e dando um suspiro profundo e exasperado a cada 12 segundos. Isso não é paciência.

Paciência é a habilidade de manter uma boa atitude enquanto você espera. Foi isso que Jesus fez.

"Meu comportamento pode estar errado, mas não é minha culpa"

Você já se ouviu dizendo uma dessas coisas?

"Geralmente não perco a calma, mas minha mãe sabe como me irritar até que eu perca a cabeça."

"Meu professor me odeia, e é por isso que sempre tiro notas ruins e tenho problemas em sua aula."

"Alguns dos meus amigos exercem má influência em minha vida. Eu nunca estive em problemas até começar a andar com eles."

"Eu não queria ser sexualmente ativa, mas meu namorado exerce algum tipo de poder sobre minha vida."

"Eu não queria experimentar drogas, mas meus amigos simplesmente me obrigaram."

Quando fazemos algo errado, especialmente quando fazemos algo errado e somos pegos em flagrante, somos rápidos em apontar o dedo para culpar algo ou alguém. Infelizmente, ele quase nunca é apontado para nós mesmos.

Eu sei disso por experiência própria. Inúmeras vezes apontei o dedo para meu marido, Dave.

Lembro-me claramente de ter orado a Deus, pedindo-Lhe que mudasse Dave. Eu orava e estudava a Bíblia e, enquanto lia, notava várias falhas que eram mencionadas e como Dave tinha várias delas. Ele precisa ser diferente, eu decidi. Isso resolveria os problemas em nosso relacionamento.

Por exemplo:

"Se Dave não jogasse golfe aos sábados, eu não ficaria tão irritada com ele."

"Se Dave conversasse mais comigo, eu não me sentiria tão solitária."

"Se Dave me desse mais presentes, eu não seria tão negativa."

"Se Dave me ajudasse mais em casa, eu não ficaria tão aborrecida."

Então Deus falou comigo: "Joyce, Dave não é o problema... *você* é o problema".

Eu reagi de forma "bastante madura": chorei e chorei. Chorei por três dias seguidos, enquanto Deus me revelava simplesmente o que era viver no mesmo teto com Joyce Meyer. Ele me mostrou como eu tentava controlar tudo, como resmungava e reclamava, como era negativa e como era uma pessoa difícil de ser agradada. A lista prosseguia. Isso tudo me chocou e também abalou meu orgulho. Mas esse foi o início de uma cura operada por Deus.

Eu estava me habituando a acusar algo ou alguém, menos a mim mesma, por todos os meus problemas. Quando eu agia de forma errada, acusava Dave. Eu acusava o abuso que sofri. Mas Deus me disse: "Joyce, o abuso pode ser *a razão* pela qual você age dessa forma, mas não deixe que isso se torne uma *desculpa* para você permanecer assim"!

Essa foi uma revelação libertadora: uma razão não deve se tornar uma desculpa.

Satanás, certamente, quer nos manter usando desculpas. Ele quer nos impedir de enfrentarmos a verdade. Ele tenta nos amedrontar diante da perspectiva de enfrentar a verdade sobre nós mesmos e sobre nosso comportamento (certamente, somos mais que capazes de enfrentar a verdade sobre os problemas dos outros, e não temos nenhum constrangimento de lhes falar sobre isso).

Uma chave para ser livre do jogo da acusação é buscar o perdão de Deus. Deus é rápido em perdoar se verdadeiramente nos arrependermos, mas não podemos verdadeiramente nos arrepender se não enfrentarmos a verdade sobre nossas atitudes e nossos erros. Enfrentar a verdade significa ir além de simplesmente admitir que fizemos algo errado, significa não dar desculpas por aquele comportamento errado.

Aqui está uma ilustração: uma vizinha me telefonou e perguntou se eu poderia levá-la ao banco. Seu carro não estava funcionando, e ela precisava ir ao banco imediatamente, antes que ele fechasse.

Eu estava ocupada quando ela ligou e não queria ser interrompida. Assim, fui rude e impaciente com ela. Desliguei o telefone e percebi imediatamente como tinha agido mal. Eu sabia que precisava ligar novamente para ela, desculpar-me e levá-la ao banco, mas percebi que minha mente estava se enchendo com desculpas:

"Eu não estava me sentindo bem quando ela telefonou."

"Eu estava ocupada; ela telefonou numa hora realmente ruim para mim."

"Eu estava tendo um dia realmente difícil."

Profundamente em meu espírito, contudo, eu sentia o Espírito Santo de Deus me dizendo para eu deixar de dar desculpas. Deus revelou o que eu precisava fazer: "Apenas telefone para ela e diga que você sabe que agiu errado e ponto final. Não diga nada além de: 'Eu agi errado e não há desculpas para o que fiz. Por favor, me perdoe e deixe-me levá-la ao banco'."

Dizer essas palavras era difícil. Meu orgulho resistiu. Eu queria correr e me esconder da responsabilidade, inventando mais desculpas e não enfrentando a verdade. Mas você não pode se esconder da verdade, porque a verdade é luz. Ela o encontrará em qualquer canto escuro em que você tente se esconder.

Mas não fique alarmado por ter de enfrentar a verdade. A verdade o libertará para viver a vida abundante que Deus quer que você tenha.

Compreendo que algo em seu passado ou seu presente possa tê-lo machucado. Pode ser uma pessoa, um acontecimento ou algum tipo de circunstância com que você teve de lidar. Situações desse tipo podem ser a fonte de uma atitude errada ou comportamento ruim, mas não têm de se tornar desculpas em sua vida.

Sei, sem dúvida, que muitos dos meus problemas de comportamento foram resultados diretos de muitos anos de abuso sexual, verbal e emocional que enfrentei. E eu fui presa a um padrão de comportamento destrutivo enquanto permaneci dando desculpas para isso pelo fato de ter sido vítima do abuso.

Estou aqui para lhe dizer que você pode, definitivamente, ser liberto do seu passado, de tudo que tente afundar sua vida. Deus promete: "De maneira alguma te deixarei, nunca jamais te abandonarei". Assim, apegue-se a Ele e deixe que Ele o leve à liberdade!

"Tenho o direito de me sentir infeliz: minha vida é uma droga!"

Q uando me esforçava para deixar a dor do meu passado para trás e enfrentar o meu futuro com um padrão de mente positivo, descobri que a autopiedade era uma das coisas mais difíceis para eu abandonar. Usei a autopiedade por anos para me confortar quando me sentia ferida.

Então, durante uma das minhas "sessões de autopiedade", o Senhor me disse: "Joyce, você pode ser vítima ou vitoriosa; mas você não pode ser as duas coisas ao mesmo tempo".

Veja, no momento quando alguém nos fere ou sofremos algum desapontamento, o inimigo sussurra mentiras aos nossos ouvidos, enfatizando quão cruel e injustamente fomos tratados. Começamos a ouvir essas mentiras, e elas permanecem nos rodeando e nos fazendo prisioneiros da autopiedade.

A Bíblia, contudo, não nos dá permissão para nos sentirmos infelizes com nós mesmos. De fato, uma das mensagens centrais da Bíblia é: "Olhe para os outros, não para si mesmo!"

Recentemente, uma das reuniões em que eu ministraria foi inesperadamente cancelada. Eu estava esperando por esse evento e comecei a me sentir bastante desapontada com isso.

Naquele momento em minha vida, um cancelamento como esse teria me lançado num abismo de autopiedade. Enquanto eu estivesse nesse abismo, teria facilmente criticado os organizadores do evento, julgando-os e tendo todo tipo de pensamentos negativos sobre eles.

Mas aprendi que nesse tipo de situação é melhor calar-me, não dizer nada, ao invés de me arriscar a dizer a coisa errada.

Enquanto me sentava silenciosamente, Deus começou a me mostrar a situação do ponto de vista das pessoas que tinham planejado o evento. Eles não tinham conseguido alugar um local para realizar o evento, e Deus me ajudou a perceber como isso devia estar sendo bastante frustrante para eles. Eles estavam contando com o evento. De fato, esperavam por isso com grandes expectativas, e agora suas esperanças tinham falhado.

Fiquei surpresa ao perceber como facilmente eu consegui evitar a autopiedade quando olhei para o lado dos outros ao invés de olhar para mim mesma.

Como cristãos, temos um raro privilégio quando experimentamos o desapontamento: podemos ser "reapontados", Podemos tirar o foco de nós mesmos e colocá-los em direção a outra pessoa.

Deus pode nos dar um novo começo se não permitirmos que a autopiedade nos mantenha presos aos velhos padrões.

Desperdicei muitos anos da minha vida sentindo-me infeliz comigo mesma. Eu me tornei viciada em autopiedade. Aquilo se tornou uma reação automática a certos estímulos em minha vida. Para mim, quando o desapontamento chegava, eu respondia com autopiedade.

Ao contrário de "pensar no que eu estava pensando", eu deixava os pensamentos errados encherem minha mente e quanto mais pensamentos errados chegavam, mais eu me sentia vítima.

Freqüentemente conto histórias sobre os primeiros anos do meu casamento. Durante a temporada de futebol, Dave passava todas as tardes de domingo assistindo aos jogos do seu time na TV (e se não fosse temporada de futebol, havia algum outro "bol" sendo transmitido). Deve gostava de esportes o tempo todo. Ele gostava de tudo o que envolvia uma bola e podia facilmente se entreter com o jogo. E, assim, parecia que ele nem mesmo percebia que eu existia. Como você pode imaginar, eu não gostava de *qualquer* esporte.

Certo dia, parei na frente de Dave e disse: "Não me sinto muito bem; sinto como se fosse morrer".

Ele nem ao menos desviou o olhar da TV e respondeu: "Que bom, querida, isso é maravilhoso".

Assim, passei muitas tardes de domingo furiosa e sentindo pena de mim mesma. Eu ficava furiosa com Dave e começava a limpar a casa. Eu estava tentando fazê-lo sentir-se culpado por estar sentado ali, divertindo-se, enquanto eu estava me sentindo tão miserável. Eu andava furiosamente pela casa como um "ciclone da limpeza": eu batia as portas e gavetas, marchava para trás e para frente pela sala onde ele estava sentado, empurrando o aspirador de pó, fazendo uma demonstração barulhenta de quanto eu estava trabalhando.

Eu estava tentando obter a atenção de Dave, mas ele mal me notava. Assim, eu desistia e ia para os fundos da casa, sentava-me no chão do banheiro e chorava. Quanto mais eu chorava, mais vítima eu me sentia. (Nos últimos anos, Deus me revelou por que as mulheres vão ao banheiro para chorar. É porque a maioria dos banheiros tem espelhos grandes nos quais podemos nos olhar e ver como verdadeiramente parecemos vítimas.)

Após longas sessões de choro, eu parecia tão lastimável ao ver meu rosto no espelho que começava a chorar novamente. Então, finalmente, eu fazia aquela última viagem pesarosa pela sala de estar, arrastando-me lenta e tristemente. Algumas vezes, Dave olhava tempo suficiente para mim para me perguntar se eu estava indo à cozinha e se eu poderia trazer um copo de chá gelado para ele.

A questão é: a autopiedade não funciona. Pelo contrário, eu me desgastava emocionalmente, freqüentemente ficando fisicamente doente também.

Nessa época aprendi que Deus não o libertará por sua própria força, mas pela força dele. Somente Deus pode mudar as pessoas. Acredite, ninguém a não ser o próprio Altíssimo poderia fazer Dave desistir de continuar assistindo a tantos esportes na TV.

Quando aprendi a confiar em Deus com relação a esse assunto e desisti de navegar pela autopiedade quando não conseguia as coisas do meu jeito, vi Dave começar a entrar em equilíbrio sobre seus esportes.

Dave ainda gosta de esportes, mas isso não me incomoda mais. Eu simplesmente uso seu tempo de TV para fazer as coisas de que realmente gosto em vez daquela faxina furiosa.

Se verdadeiramente preciso ou quero que ele passe a tarde de domingo comigo, docemente (e não furiosamente), peço a ele. Na maioria das vezes ele altera os planos com boa vontade.

Certamente, ainda há momentos em que não consigo as coisas do meu jeito, mas, quando percebo que minhas emoções começam a se agitar, oro: "Oh, Deus, me ajude a passar por essa prova". E Ele é fiel para me ajudar a passar na prova, com sucesso.

"Não sou uma pessoa muito boa e por isso não mereço as bênçãos de Deus."

Temos conversado sobre culpar os outros pelas coisas ruins que acontecem conosco, e muitas pessoas fazem isso. Mas há outro lado do jogo da acusação. Algumas pessoas acusam a si mesmas por tudo que lhes acontece de ruim na vida. Não estou falando sobre o hábito saudável de assumir a responsabilidade por suas ações e reações; estou falando sobre sentir-se indigno, tão indigno que você pensa que merece cada coisa ruim que acontece com você.

Infelizmente muitas pessoas enfrentam doses exageradas de culpa. Por exemplo, uma adolescente pode odiar seu tio pela maneira como ele fisicamente abusou dela, mas ao mesmo tempo, ela pode pensar que há algo de errado, algo impuro consigo mesma ou ela não teria sido alvo desse abuso.

Eu costumava pensar dessa forma. Criticava, julgava e acusava outras pessoas, mas também tinha uma natureza baseada na culpa. Freqüentemente me culpava pelas coisas ruins que me aconteceram, embora muitas dessas coisas tivessem acontecido em minha infância e não houvesse nada que eu pudesse fazer para evitar. Eu me sentia desgraçada.

A graça é o favor de Deus, o poder de Deus, dada a nós como um presente gratuito. A graça nos ajuda a fazer as coisas de forma mais fácil, coisas que não poderíamos fazer sozinhos. A desgraça, por outro lado, vem de Satanás, não de Deus. A desgraça nos diz: "Você não é bom. Você devia se envergonhar de si mesmo pelo que você tem feito, pela maneira que você pensa. Você não é digno do amor ou da ajuda de Deus".

A desgraça envenena sua mente. Você se sente envergonhado daquilo que lhe foi feito, mas certamente também se sente envergonhado de si mesmo, como pessoa. Era assim que eu me sentia. Profundamente em meu interior, eu simplesmente não gostava de quem eu era.

A beleza do perdão de Deus é que isso nos permite respondermos aos pensamentos negativos como "Você não merece as bênçãos de Deus!" com "Eu sei disso, mas posso tê-las assim mesmo"!

Esta é a verdade: ninguém merece as bênçãos de Deus. Se elas fossem merecidas, não seriam bênçãos. O livro de Romanos fala sobre o salário do pecado que é a morte, e sobre o dom gratuito de Deus que e a vida eterna. Note a distinção entre o que nós podemos merecer e o que Deus nos dá através da sua absoluta graça e amor.

Não somos dignos das bênçãos de Deus, mas podemos humildemente e com gratidão aceitá-las. Podemos desfrutar as bênçãos de Deus e nos maravilhar ao ver quão bom Ele é e como Ele nos ama!

"Por que não posso ser invejoso? A maioria das pessoas que conheço é melhor do que eu!"

De acordo com o sistema do mundo, o vencedor obtém tudo. Se você não for o número um, será um fracassado. A mensagem que freqüentemente ouvimos hoje em dia é: "Alcance o topo, não importa quem você tenha que machucar no caminho de subida".

A Bíblia, por outro lado, nos ensina que não existe paz real até que estejamos livres da necessidade de sermos os mais ricos, os mais fortes, os mais populares, aqueles que têm a melhor aparência, que são mais bem-sucedidos do que todos os outros.

Você já viu alguns programas de TV que têm sido transmitidos (*reality-shows*) e, como sempre, uma competição pode transformar pessoas completamente desconhecidas em grandes inimigos? A competição sai tanto do equilíbrio que os participantes se esquecem de que estão em rede nacional, sendo observadas pelas pessoas. Em vez de desfrutar a oportunidade que poucas pessoas terão na vida, eles acabam discutindo uns com os outros, agredindo-se mutuamente e tornando os outros e a si mesmos miseráveis.

Certamente, você deve se esforçar para fazer o melhor na escola, nos esportes, na música, no teatro ou em qualquer coisa que você esteja fazendo. O problema vem quando você não pode desfrutar o que está fazendo, a menos que você esteja em evidência, a menos que você obtenha o primeiro lugar, o primeiro prêmio.

Se você se torna invejoso ou amargo todas as vezes que vê alguém que tem algo que você não tem, sua vida está se tornando miserável.

Eu vou mais longe ao dizer que a inveja e o ciúme são tormentos vindos diretamente do inferno. Passei muitos anos invejando pessoas que parecessem fazer as coisas melhor do que eu, ou tivessem talentos que eu não tinha. Secretamente, vivia em competição com os outros que tinham ministérios como o meu. Era muito importante para mim que "meu" ministério fosse maior em tamanho e abrangência, atraísse mais pessoas aos eventos e conseguisse receita maior do que o dos outros. Se algum outro ministério ultrapassasse o meu em qualquer aspecto, eu queria me sentir feliz pela pessoa, porque Deus estava lhe abençoando a vida, mas algo dentro de mim não me permitia sentir-me da forma que deveria.

Eu me lembro quando uma amiga certa vez recebeu um presente do Senhor, o presente que eu esperava por longo tempo. Eu não considerava essa amiga tão "espiritual" quanto eu, e assim senti bastante inveja quando ela apareceu em frente à minha casa celebrando a notícia daquilo que Deus tinha feito em sua vida. Eu tentei ficar feliz, mas, em meu coração, eu não estava alegre.

Depois que minha amiga se retirou, fiquei chocada com os pensamentos que pairavam em minha mente. Eu me ressenti por Deus ter abençoado aquela mulher, porque eu não achava que ela não merecia isso. Afinal, eu ficava em casa jejuando e orando, enquanto ela saia por aí com suas amigas, divertindo-se. Eu era uma esnobe religiosa.

Deus, contudo, tinha outros planos. Ele sabia do que eu realmente necessitava, enquanto eu estava concentrada naquilo que eu *desejava*. Ele sabia que eu necessitava libertar-me da minha atitude ruim muito mais do que precisava da "bênção" pela qual estava orando e crendo. Deus arranjou as circunstâncias para que eu pudesse enfrentar a mim mesma e expor o que o inimigo estava fazendo em minha atitude.

Felizmente, quanto melhor eu entendia quem eu era aos olhos de Jesus, mais fui me libertando da necessidade de me comparar com os outros. Quanto mais aprendia a confiar em Deus, mais liberdade eu desfrutava. Aprendi que meu Pai celestial me ama e fará o que for melhor para mim.

O que Deus já fez por mim e o que Ele faz por você podem não ser a mesma coisa que Ele faz por outras pessoas. Mas lembre-se do conselho de Jesus ao seu discípulo Pedro. Jesus estava dizendo a Pedro algumas das dificuldades que ele teria de enfrentar para servir e glorificar ao seu Deus. Pedro voltou-se para seu colega João e perguntou a Jesus: "E quanto a este"? (Pedro queria estar certo de que se ele iria sofrer, João estaria seu lado, enfrentando dificuldades também).

Jesus, educadamente, disse a Pedro que cuidasse da sua própria vida. Ele instruiu a Pedro (parafraseado): "Não se preocupe com o que eu escolhi para fazer na vida de outra pessoa, e, quanto a você, siga-Me"!

Você descobrirá algo maravilhoso quando escolhe seguir a Deus. Ele quer abençoá-lo além do que você deseja ser abençoado! Mas Ele também o ama tanto que não o abençoará além da sua capacidade de lidar com as bênçãos de forma adequada e Lhe dar a glória pelo sucesso que você desfrutar.

Voltando à época em que eu tinha inveja da minha amiga, Deus já tinha um plano para o meu ministério. Ele pretendia me fazer ser como um mordomo de um ministério que alcançaria milhões de pessoas pela TV, pelo rádio, pelos livros, por seminários e mais. Mas Ele não iria cumprir esses planos até que eu crescesse nEle.

Avalie seus pensamentos e sentimentos de inveja. Não tenha medo de ser honesto consigo mesmo e com Deus. De qualquer forma, Ele sabe como você se sente, e, assim, você pode também falar com Ele sobre isso.

Então, quando você reconhecer que a inveja está avançando em sua mente, tenha uma pequena conversa consigo mesmo: *Que bem me fará sentir inveja de um amigo ou colega de classe? Deus não irá me abençoar por ser invejoso; essa não é a forma como Ele trabalha. Deus tem um plano para minha vida e vou confiar nEle para fazer o que é melhor para mim. Não é meu problema o que Ele escolhe fazer por outras pessoas.*

Após ter essa pequena conversa consigo mesmo, tente orar para que essas pessoas "afortunadas" que você conhece sejam abençoadas ainda mais. Falo sério, isso será bom para você.

Faça orações como esta: "Deus, oro por_____, para que ele(a) seja mais abençoado do que tem sido até agora. Faze-o prosperar, abença-o em todos os seus caminhos. Estou orando assim pela fé, porque admito que sinto inveja dele, que me sinto inferior a ele, mas escolhi fazer as coisas do Teu jeito, gostando ou não disso".

E, afinal, qual é o proveito de todo esforço para estar à frente de qualquer outra pessoa? Assim que nos tornamos o número 1, alguém tentará nos arrancar do pedestal.

Pense nos esportes. Os recordes mundiais e olímpicos são quebrados a todo o momento. Os times que eram os campeões alguns anos atrás despencaram para os últimos lugares de suas divisões hoje.

Deus tem me ajudado a compreender que os meteoros surgem no céu e chamam bastante atenção, mas eles não permanecem ali por muito tempo. Ele disse que é muito melhor ser um corredor de longa distância, mantendo-me firme, fazendo o que Ele me pede para fazer, dando o melhor da minha habilidade. Ele, e não eu, é quem cuida da minha reputação. O que Deus me pede para fazer é a coisa certa para mim. Por quê? Porque Ele sabe melhor do que eu que eu posso lidar com isso.

Decida ser feliz pelos outros e confie em Deus pela sua própria vida. Derrube as paredes de inveja que aprisionam a sua mente e limitam sua felicidade. Deixe as possibilidades com Deus. Ele o surpreenderá.

"O que Jesus pensaria?" Essa é a sua arma!

Nós, porém, temos a mente de Cristo (o Messias, e mantemos os pensamentos (sentimentos e propósitos) de seu coração).

1 Coríntios 2.16

Provavelmente, você já viu pessoas usando braceletes e camisetas de Jesus; talvez você mesmo tenha algo assim. Algumas dessas camisetas trazem gravado um grande conceito: O QUE JESUS FARIA?. Isso ajuda as pessoas a fazer essa mesma pergunta antes de tomarem uma atitude.

Contudo, penso que "O que Jesus faria" é somente metade da batalha. Quero introduzir a você um novo conceito a ser divulgado: *O que Jesus pensaria?*. Em outras palavras, em *quais* coisas Jesus passaria tempo pensando e *como* Ele pensaria sobre elas?

É importante você se armar com o conceito "O que Jesus pensaria?" como sua arma de destruição em massa, para combater os ataques do inimigo em sua mente. Você precisa pensar como Jesus se quiser agir como Jesus. Agora, você pode estar dizendo: "Isso é impossível, Joyce. Jesus era perfeito e totalmente sábio. Posso até ser capaz de *melhorar* a maneira como penso, mas nunca serei capaz de pensar da maneira que Ele pensou"!

Você pensa que não pode pensar como Jesus? Pense melhor! Você pode fazer isso. Quando Deus o adotou em sua família, Ele lhe deu um novo espírito, um novo coração, e a habilidade de renovar sua mente para que você possa pensar como Jesus pensava.

Aqui está um exemplo desse conceito. Imagine que um dos seus amigos traia você, quebrando um segredo ou dizendo algo que seja falso ou prejudicial a você. Sua reação "natural" seria ficar furioso, talvez começar a odiar seu amigo e planejar uma vingança. Qual seria o resultado disso? Estresse, tensão, dor de cabeça, uma sensação doentia no estômago, fadiga, insônia, só para citar algumas coisas. O padrão de pensamento natural pode sugar a sua vida.

Por outro lado, quando sua mente é renovada e você começa a adotar o conceito de "O que Jesus pensaria?", sua resposta é diferente. Em vez de concentrar-se somente na injustiça, você vê as coisas sob outra perspectiva. Você percebe que Deus tem abençoado sua vida e sido bom com você de muitas formas. Assim, você não deixa que um incidente estrague tudo o mais.

Além disso, você pensa na atitude amorosa e perdoadora de Jesus, mesmo diante dos inimigos dele. Talvez você vá até seu amigo e tente descobrir o que causou aquele comportamento infeliz. Você tenta esclarecer as coisas. E você não retribui o mal com mais mal.

Quando você adota a mente de Cristo, você se enche de vida, em vez de deixar que ela seja sugada de você.

"O que Jesus pensaria" na prática

Pensar da maneira que Jesus pensava e comportar-se da forma que Ele se comportava realmente funciona? Mesmo em áreas difíceis, como pureza sexual? Afinal, muitas pessoas que fazem "votos de pureza" acabam tornando-se sexualmente ativas.

Aqui está uma entrevista real com uma jovem que resolveu manter-se pura até casar-se e honrou esse compromisso. Leia o que ela tem a dizer e você será o juiz.

Suas amigas (ou amigos) que se tornaram sexualmente ativas quando adolescentes estão com os parceiros (ou parceiras) que tinham naqueles anos?

Não. Você muda muito após os anos de adolescência. Eis por que encorajo os adolescentes com quem converso a que permaneçam firmes. Quando você é adolescente, você ainda está descobrindo quem você realmente é. Você não sabe como você será em poucos anos e você não sabe como o seu atual namorado ou namorado será. Eu sei disso por experiência própria: o tipo de rapaz com quem eu queria me casar mudou dramaticamente uma vez que saí da adolescência.

Como seus amigos (as) que não permaneceram sexualmente puros se sentem sobre isso agora?

Muitos dos meus amigos têm expressado seu arrependimento a mim. Eles se sentem mal também sobre o passado sexual de seus cônjuges. Uma das minhas amigas manteve o padrão de pureza, mas seu marido, não. Ele não lhe falou sobre seu passado até que eles estivessem noivos. Ela se sentiu muito mal por não ter sido a primeira pessoa na vida de seu marido. Ela teve muitas inseguranças, até sobre doenças e por pensar que seu marido poderia compará-la com as ex-parceiras dele, esse tipo de coisa.

> *Como uma jovem recém-casada, como você se sente hoje sobre seu compromisso com a pureza?*
>
> Vale a pena permanecer virgem até que você se case. Vale muito a pena. Eu sabia que Deus me recompensaria por obedecer-Lhe, mas a recompensa foi maior do que imaginei. Não estou dizendo que as pessoas que cometem um erro não encontram graça e perdão e terão um casamento abençoado, mas é muito mais doce se você esperar. Sou grata por meu marido e eu não carregarmos qualquer bagagem sexual do passado em nosso relacionamento. Isso torna as coisas mais íntimas. A Bíblia fala sobre um homem e uma mulher se tornando uma só carne numa unidade emocional, física e espiritual. Pense sobre isso: como você pode se tornar "um" com um bando de pessoas diferentes?

Agora, como nós podemos pensar como Jesus? Tente estas sugestões...

1. **Pense coisas positivas**. Você pode imaginar Jesus caminhando por aí com a cabeça cheia de pensamentos negativos? Ele conseguiria falar tantas mensagens encorajadoras e inspiradoras se sua mente estivesse cheia de negatividade?

   Jesus era e é puramente positivo, e se você e eu queremos caminhar com Ele temos de caminhar num ritmo positivo. Não estou falando sobre forçar coisas falsamente positivas em sua mente; estou falando sobre ter uma perspectiva que não se esquece das coisas boas quando os tempos difíceis chegam; falo sobre uma expectativa do melhor, em vez de temer o pior.

   Pense sobre Jesus. Ele foi vítima de mentiras, foi abandonado, ridicularizado, mal compreendido, traído e muitas coisas piores. Contudo, em meio de todas as coisas negativas, Ele permaneceu positivo. Ele sempre conseguia encontrar palavras encorajadoras e animadoras para dizer. Ele sempre dava esperança àqueles que se aproximavam dele.

A mente de Cristo é uma mente positiva. Portanto, sempre que nos tornamos negativos, não estamos operando com a mente de Cristo. Milhões de pessoas hoje sofrem de depressão, e não acredito que seja possível estar deprimido sem ser negativo também (eu compreendo que algumas vezes a causa da depressão é química ou física, mas, mesmo nesses casos, a negatividade somente torna a depressão e seus sintomas piores).

Deus não quer que você seja negativo. O Salmo 3.3 diz que Deus é a nossa glória e que Ele "levanta nossa cabeça". Ele quer que você encare a vida com sua cabeça erguida.

O diabo, por outro lado, quer levá-lo para baixo. E nada o deixará mais para baixo do que uma mente negativa. Os problemas da vida podem tentar torná-lo desencorajado, mas ser negativo não resolverá qualquer problema. Isso somente tornará cada problema pior. Os pensamentos de forma positiva, por outro lado, trarão luz nos lugares escuros da sua vida.

2. **Resista à negatividade e ao desespero que roubam sua vida**. Nosso espírito, fortalecido e encorajado pelo Espírito de Deus, é poderoso e livre. Satanás busca aprisionar nosso espírito e abatê-lo ao encher-nos de tristeza e melancolia. É vital, então, resistirmos aos sentimentos de desespero e depressão *imediatamente* ao percebermos que eles estão se aproximando. Quanto mais você permitir que o desespero o envolva, mais difícil será resistir. Pense no desespero como um carrapato. Você quer se livrar dele antes que ele enterre a cabeça em sua pele.

3. **Lembre-se dos bons momentos**. No Salmo 143.5, o salmista escreveu: "Lembro-me dos dias de outrora, penso em todos os teus feitos e considero as obras das tuas mãos".

Quando os momentos difíceis batem à nossa porta, é fácil esquecer todos progressos que já fizemos. Não deixe isso acontecer com você. Não se esqueça de todas as batalhas que você já venceu com Deus ao seu lado. Avalie todo o território que você já conquistou. Não o abandone diante de qualquer contrariedade. Você não cortaria um craque do seu time simplesmente porque ele perdeu um gol, esquecendo-se de todas as vitórias que ele já proporcionou.

Lembre-se de tudo que Deus tem feito por você e pelos outros também. O Deus que o levou até esse ponto de sua vida é plenamente capaz de guiar seu presente e seu futuro. Enquanto você segue, você obterá muitas outras boas memórias para sustentá-lo durante a próxima fase desafiadora da sua vida.

4. **Busque a Deus por meioda oração e do louvor**. Se você seguir os relatos da vida de Jesus na Bíblia, uma coisa se tornará clara: Jesus era devotado à oração. Ele orava a Deus e Lhe agradecia publicamente, e Ele freqüentemente se retirava da multidão para passar tempo a sós com seu Pai celestial. É importante notar que Jesus não passava todo seu tempo pregando, ensinando, curando e alimentando pessoas. Se o tempo de oração era importante para Jesus, isso é um exemplo poderoso para nós.

Somente Deus pode saciar a sede da sua alma. Não seja tolo em pensar que qualquer outra coisa pode satisfazê-lo completamente. Deus anseia por ouvir você. Ele quer suprir suas necessidades e quer que você passe tempo com Ele.

O tempo de oração, certamente, não é apenas tempo para você falar com Deus. É tempo de ouvir a Deus também. Jesus buscava a orientação do seu Pai, refletindo a atitude do salmista no Salmo 143.8: "Faze-me ouvir, pela manhã, da tua graça, pois em ti confio; mostra-me o caminho por onde devo andar, porque a ti elevo a minha alma".

Em seu tempo de oração, permita que Deus lhe assegure o amor que Ele tem por você e esteja atento ao cuidado e à direção dEle.

Lembre-se: uma mente como a de Cristo é uma mente que ora.

5. **Medite em Deus e em suas obras.** Você não tem de estar na igreja para pensar sobre Deus e maravilhar-se com as obras dEle. Gosto de assistir a programas sobre a natureza, animais, vida nos mares, etc., porque isso retrata o tremendo poder e a criatividade sem limites de Deus. Isso me lembra que Deus é o sustentador de toda a vida.

Um dos meus versículos prediletos está no Salmo 17.15, que diz sobre o Senhor: "Eu, porém, na justiça contemplarei a tua face; quando acordar, eu me satisfarei com a tua semelhança".

Passei muitos dias infeliz porque eu costumava pensar sobre todas as coisas erradas desde o momento em que acordava toda manhã. Agora posso verdadeiramente dizer que fui plenamente satisfeita desde que o Espírito Santo me ajudou começar cada dia com a mente de Cristo. O relacionamento com Deus logo que você acorda pela manhã é a maneira correta de começar a desfrutar a vida que cada dia traz.

6. **Opere com base no amor.** Quando você estiver seguindo as sugestões anteriores, esteja certo de devotar algum tempo da sua meditação ao amor puro de Deus. A Bíblia chega mesmo a dizer: "Deus é amor" (1 João 4.8), mas é difícil experimentar o amor de Deus sem meditar nEle.

Quando comecei no ministério, antes do primeiro encontro que conduzi, perguntei a Deus o que Ele queria que eu ensinasse. Ele respondeu: "Diga ao meu povo que Eu o amo".

"Eles sabem disso", respondi. "Quero ensinar alguma coisa realmente poderosa, não uma lição da escola dominical baseada em João 3.16".

Então o Senhor me disse: "Bem poucas pessoas do meu povo sabem quanto realmente Eu as amo. Se elas soubessem, agiriam de forma diferente".

Assim, comecei a estudar o assunto sobre receber o amor de Deus e percebi que eu mesma tinha uma necessidade desesperada disso. O Senhor me levou a 1 João 4.16, que declara que devemos estar conscientes, ativamente conscientes, do amor de Deus.

Bem, eu tinha uma vaga compreensão de que Deus me amava, mas o amor de Deus deve ser uma força poderosa em nossa vida, assim como foi na vida de Jesus. Como Jesus demonstrou, o amor pode nos fazer passar pelas tribulações mais dolorosas e humilhantes e nos fazer chegar do outro lado vitoriosos.

Estudei o assunto do amor de Deus por um longo tempo e, enquanto o fazia, tornei-me mais consciente do amor de Deus por mim. Eu pensava sobre esse amor. Eu o proclamava em voz alta. Aprendi versículos sobre o amor de Deus e meditei neles, declarando-os em voz alta. Fiz isso por vários meses e a maravilhosa revelação do amor de Deus tornou-se mais e mais uma realidade em minha vida.

Hoje, o amor de Deus é tão real para mim que mesmo em tempos difíceis sou confortada pelo "conhecimento consciente" de que Ele me ama e que eu não preciso mais viver com medo. Desejo esse mesmo conhecimento para você.

Deixe o amor ser a sua base militar na batalha por sua mente. Deixe-o ser uma força orientadora e uma fonte de energia para você.

7. Esteja consciente da justiça e não do pecado. Muitas pessoas são atormentadas por pensamentos negativos a respeito de si mesmas. Elas pensam que Deus deve estar desgostoso com elas por causa de todas as suas fraquezas e falhas.

Quanto tempo você já desperdiçou vivendo num estado de culpa e condenação? Note que eu disse "desperdiçou", não apenas "passou". É porque o tempo que você passa pensando em coisas negativas é um absoluto desperdício. Não importa o terrível estado em que você esteja quando se aproxima de Deus, Ele pode torná-lo puro e limpo. Ele perdoará todos os seus pecados. O trecho de 2 Coríntios 5.21 diz que por intermédio de Cristo nos tornamos a justiça do próprio Deus. Pondere nesse conceito por um momento.

Cristo o capacita a tornar-se justo. Você é justo diante de Deus. E assim são todos aqueles que se voltam para Ele. Deixe esse conhecimento orientar seu pensamento a respeito de si mesmo e a respeito dos outros. Encoraja-se. Encoraje aqueles que estão ao seu redor.

8. Seja grato. Jesus foi um exemplo vivo do Salmo 34.1, no qual Davi proclama: "Bendirei o Senhor em todo o tempo, o seu louvor estará sempre nos meus lábios". Jesus agradeceu a Deus durante os momentos trágicos, durante os momentos triunfantes, mesmo durante os momentos das refeições.

Podemos tentar nos igualar ao padrão de pensamento e ao estilo de vida de Jesus ao sermos pessoas gratas não somente diante de Deus, mas diante daqueles que estão ao nosso redor. Quando alguém faz algo agradável a você, deixe-o saber que você gostou disso. Mostre apreciação e gratidão à sua família. Certo, eles têm falhas, mas não despreze a maneira como eles têm abençoado sua vida.

Sou casada há bastante tempo, e meu marido sabe como aprecio o que ele faz por mim. Mas eu ainda lhe digo quanto gosto disso. Agradeço a Dave por ser um homem tão paciente. Eu lhe falo sobre suas muitas grandes qualidades. Quando deixamos as pessoas saberem que nós apreciamos o que fazem, construímos e mantemos um forte relacionamento com elas.

Lido com muitas pessoas, e continua a me surpreender como algumas delas são extremamente gratas por cada pequena bênção, enquanto outras nunca estão satisfeitas, não importa quanto seja feito por elas. Elas pensam que merecem todas as boas coisas que têm, e assim elas raramente expressam sua apreciação.

Expressar apreciação é importante. É bom para as pessoas ouvirem e traz alegria a nós quando compartilhamos nossa apreciação.

Assim, medite diariamente em todas as coisas que você tem para ser grato. Diga a Deus: "Obrigado!". Quando você o fizer, você descobrirá seu coração sendo inundado com vida e luz.

Se você crê em Deus, você tem a mente de Cristo. Não posso pensar em qualquer notícia melhor do que essa para compartilhar com você. Espero que as idéias desse capítulo final o ajudem a usar a mente de Cristo, e fazer com que você pergunte continuamente: "Em *quais* coisas Jesus pensaria?" (Lembre-se, se Ele não pensaria sobre algo, você também não deve pensar.) E *como* Ele pensaria sobre as coisas que são dignas?

Ao manter continua vigilância sobre seus pensamentos, você irá se assegurar que nenhum pensamento prejudicial do inimigo rastejará para sua mente.

Satanás tem declarado guerra contra sua mente, mas você tem as armas para vencer, armas como o amor, como a oração. E seu arsenal inclui a habilidade de pensar como Jesus pensava, de ter a mente de Cristo. Pense sobre a implicação dessas duas últimas frases: Satanás terá alguma chance se não apenas ele batalhar contra sua mente, mas contra a mente de Cristo também? O inimigo se desfará como fumaça.

Com essa verdade em mente, minha profunda oração é para que este livro o ajude a lançar fora cada mentira, imaginação ou teoria que se coloque contra Deus. E oro também para que todos os seus pensamentos sejam guiados pelo nosso Senhor Jesus Cristo, que o ama com amor eterno.

Notas

CAPÍTULO 1

1. CHRISTIAN RETAILING, p. 48, 22 ago. 2005.
2. DOES watching sex on television influence teens sexual activity? Disponível em: www.rand.org/publications/RB/RB9068/RB9068.pdf. Acesso em: 22 nov. 2005.
3. RICHARDS, Sarah E. She drank herself to death. *Seventeen Magazine*, p. 112-113, maio 2005. Disponível em: www.samspadyfoundation.org/newsletter/405.pdf. Acesso em: 22 nov. 2005.
4. ESCRITOR da equipe "Racism Today". *Seventeen Magazine*, p. 114-115, maio 2005.
5. PARENTS and teen pregnancy: what surveys show", Disponível em: http://www.teenpregnancy.org/resources/data/parentpoll2004.asp. Acesso em: 22 nov. 2005.
6. FACT sheet: sobering facts on teens and alcohol. Disponível em: http://www.teenpregnancy.org/resources/reaading/facts_sheets/alcohol.asp. Acesso em: 22 nov. 2005.
7. EVERSON, Eva; MARIE; JESSICA. *Sex, lies and the media* Colorado Springs: Cook Communications, 2005.
8. NAHIC 2004 fact sheet on suicide. Disponível em: http://nahic.ucsf.edu/downloads/Suicide.pdf. Acesso em: 28 out. 2005.
9. RESEARCH & Data: stats and facts. Disponível em: www.purerevolution.com/purerevolution/adult. Acesso em: 28 out. 2005.
10. TODD; HAFER, Jedd. *Wake up and smell the pizza*. Minneapolis, MN: Bethany House Publishers, 2005; Código Civil brasileiro, art. 218; Código Penal, art. 172.
11. SPRINGEN, Karen. Beyond the birds and the bees. *Newsweek*, 25 abr. 2005, p. 61.
12. PARTNERSHIP for a drug-free America. *Runner's World*, out. 2005.
13. MARIE, Eva; EVERSON, Jessica. *Sex, lies and the media*. Colorado Springs: Cook Communications, 2005. A Kaiser Family Foundation (Web-site, kff.org) também relata que 18% de todos os jovens do sexo masculino do 9° ao 12° ano escolar têm quatro ou mais parceiras sexuais.

CAPÍTULO 6

1. Disponível em: www.samspadyfoundation.org/newsletter/405.pdf. Acesso em: 22 nov. 2005.

2. WHITE paper: adolescent sexuality. Disponível em: www.plannedparenthood.org/pp2/portal/files/portal/medicalinfo/teensexualhealth/white-adolescent-sexuality-01.xml. Acesso em: 22 nov. 2005.

3. DOES watching sex on television influence teens' sexual activity? Disponível em: www.rand.org/publications/RB/RB9068/RB9068.pdf. Acesso em: 22 nov. 2005.

4. MMWR: youth risk behavior surveillance – United States, 2003: Sexual intercourse before age 13 years. Disponível em: http://www.cdc.gov/mmwr/PDF/SS/SS5302.pdf, p. 20. Acesso em: 22 nov. 2005.

5. MAKING the case for financial literacy: undergraduate and graduate students. Disponível em: www.jumpstartcoalition.com/upload/Personal1%20Financial%20Stats%202005%201.etterhead.doc. Acesso em: 22 nov. 2005.

6. ESCRITOR da equipe "Playing Risk". *Men´s Health*, p. 36, jan./fev. 2005.

7. ESCRITOR da equipe "Playing Risk". *Men´s Health*, p. 36, jan./fev. 2005.

8. ESCRITOR da equipe "Playing Risk". *Men´s Health*, p. 36, jan./fev. 2005.

9. MARIJUANA & mental health: an open letter to parents. Disponível em: www.theantidrug.com/drug.info/mjmh_openletter.asp. Acesso em: 28 out. 2005.

10. BROADMAN-GRIMM, M. D.; KAREN. Sex Q & A. *Seventeen*, p. 83, maio 2005.

11. BROADMAN-GRIMM, M. D.; KAREN. Sex Q & A. *Seventeen*, p. 83, maio 2005.

12. GRUMMAN, Rachel. Sex Ed. *Seventeen*, p. 102, out.. 2005.

13. TENNAGE drinking key findings. Disponível em: www.ama-assn.org/amal/pub/upload/mm/388/keyfindings.pdf. Acesso em: 22 nov. 2005.

CAPÍTULO 8

1. GENERATION perfect. *Seventeen*, p. 149-50, out. 2005.

PARTE 3: INTRODUÇÃO

1. THE CHART: top ten list. *Rolling Stones*, p. 32, 7 abr. 2005.
2. THE CHART: top ten list. *Rolling Stones*, p. 32, 7 abr. 2005.

CAPÍTULO 11

1. VINE, W. E. *An expository dictionary of new testament words.* Old Tappan; NJ: Fleming H. Revell, 1940.

Referências

EVERSON, Eva Marie; and Jessica. *Sex, lies and the media*. Colorado Springs: Cook Communications, 2005.

HAFER; TODD; JED. *Wake up and smell the pizza*. Minneapolis, MN: Bethany House Publishers, 2005.

RONDOM HOUSE UNABRIDGED DICTIONARY. 2. ed. New York: Random House, 1993.

STRONG, James. *The new strong's exhaustive concordance of the bible*. Nashville: Thomas Nelson Publishers, 1984.

VINE, W. E. *An expository dictionary of new testament words*. Old Tappan; NJ: Fleming H. Revell, 1940.

WEBSTER'S 11 REVERSIDE UNIVERSITY DICIOTNARY. Boston: Houghton Mifflin Company, 1984.

Sobre a Autora

Joyce Meyer é uma das líderes no ensino prático da Bíblia no mundo. Renomada autora de bestsellers pelo *New York Times*, seus livros ajudaram milhões de pessoas a acharem esperança e restauração através de Jesus Cristo.

Através dos *Ministérios Joyce Meyer*, ela ensina sobre centenas de assuntos, é autora de mais de 80 livros e conduz aproximadamente 15 conferências por ano. Até hoje, mais de 12 milhões de seus livros foram distribuídos mundialmente, e em 2007 mais de 3.2 milhões de cópias foram vendidas. Joyce também tem um programa de TV e de radio, *Desfrutando a Vida Diária*®, o qual é transmitido mundialmente para uma audiência potencial de 3 bilhões de pessoas. Acesse seus programas a qualquer hora no site www.joycemeyer.com.br

Tendo sofrido abuso sexual quando criança e a dor de um primeiro casamento emocionalmente abusivo, Joyce descobriu a liberdade de viver vitoriosamente aplicando a Palavra de Deus à sua vida, e deseja ajudar que os outros façam o mesmo. Desde sua batalha com câncer no seio até as lutas da vida diária, ela fala aberta e praticamente sobre sua experiência de modo que outros possam aplicar o que ela aprendeu às suas vidas.

Durante os anos, Deus proveu a Joyce com muitas oportunidades de compartilhar o seu testemunho e a mensagem de mudança de vida do Evangelho. De fato, a revista *Time* a selecionou como uma das mais influentes líderes evangélicas na America. Ela é um incrível testemunho do dinâmico e restaurador trabalho de Jesus Cristo. Ela crê e ensina que, independente do passado da pessoa ou dos erros cometidos no passado, Deus tem um lugar para elas, e pode ajudá-las em seus caminhos para desfrutarem a vida diária.

Joyce tem um merecido PhD em teologia obtido da Universidade Life Christian em Tampa, Florida; um honorário doutorado em divindade da Universidade Oral Roberts University em Tulsa, Oklahoma; e um honorário doutorado em teologia sacra da Universidade Grand Canyon em Phoenix, Arizona. Joyce e seu marido, Dave, são casados há mais de quarenta anos e são pais de quarto filhos adultos. Dave e Joyce Meyer vivem atualmente em St. Louis, Missouri.

Coleção
Campo de Batalha
da mente
Vencendo a batalha em sua mente

Campo de Batalha da Mente

Há uma guerra se desenrolando e sua mente é o campo de batalha. Descubra como reconhecer pensamentos prejudiciais e ponha um fim a qualquer influência em sua vida! - (265 páginas - 15 x 23 cm)

Mais de 2 milhões de cópias vendidas

Campo de Batalha da Mente
Guia de Estudos

Um guia prático e dinâmico. Pra você que já leu o Campo de Batalha da Mente, aprenda a desfrutar ainda mais, de uma vida vitoriosa em sua mente, aplicando os fundamentos do Guia de Estudos. - (117 páginas -15,5x23)

Campo de Batalha da Mente
Para Crianças

Recheado de histórias, testes divertidos e perguntas para fazer você pensar, esse livro irá ajudar você a perceber o que está certo e o que está errado, e também para ajudá-lo a observar algumas coisas com as quais você pode estar lutando, como preocupação, raiva, confusão e medo. - (170 páginas - 12x17cm)

Campo de Batalha da Mente
Para Adolescentes

Traz uma conversa franca sobre: pressões dos amigos, expectativas para seu futuro, e a luta pela independência. Com entrevistas com jovens como você, e conselhos diretos, baseados na Bíblia, Joyce dará a munição que você necessita para tornar seu cérebro uma maquina potente, precisa e invencível. - (153 páginas - 12x17cm)

A Revolução do Amor

"Eu adoto a compaixão e abro mão das minhas desculpas. Eu me levanto contra a injustiça e me comprometo a demonstrar em ações simples o amor de Deus. Eu me recuso a não fazer nada. Esta é a minha decisão. EU SOU A REVOLUÇÃO DO AMOR."

Com capítulos escritos pelos convidados Darlene Zschech da Hillsong, Martin Smith do Delirious?, pelos Pastores Paul Scanlon e Tommy Barnett, e por John Maxwell, A REVOLUÇÃO DO AMOR apresenta uma nova maneira de viver que transformará a sua vida e o seu mundo. (262 páginas - 15x23cm)

Visite: www.bellopublicacoes.com

O Vício de Agradar a Todos

Muitas pessoas em nossos dias têm uma necessidade incontrolável de afirmação, e são incapazes de se sentirem bem consigo mesmas sem ela. Esses "viciados em aprovação" passam todo o tempo em uma luta constante contra a baixa estima e a desordem emocional, o que causa enormes problemas no seu relacionamento com as outras pessoas.

Joyce Meyer oferece um caminho para a libertação da necessidade avassaladora pela aceitação do mundo exterior – uma aceitação que não traz realização, ao contrário, conduz à decepção. - (304 páginas - 15x23cm)

Eu e Minha Boca Grande! - Bestseller!

Mais de 600 mil de cópias vendidas

Sua boca está ocupada falando sobre todos os problemas de sua vida? Parece que sua boca tem vontade própria? Coloque sua língua em um curso de imersão para a vitória. Você pode controlar as palavras que fala e fazê-las trabalhar para você!

Eu e Minha Boca Grande, mostrará a você como treinar sua língua para dizer palavras que o colocarão em um lugar superior nesta vida. Joyce enfatiza que falar a Palavra de Deus deve vir acompanhado de viver uma vida em completa obediência à Bíblia para ver o pleno poder de Deus fluindo em sua vida. - (215 páginas - 15x21cm)

Beleza em Vez de Cinzas

Neste livro Joyce compartilha experiências pessoais como o abuso que sofreu do pai, dificuldades financeiras e como Deus transformou as cinzas que haviam em sua vida em beleza. Receba a beleza de Deus para suas cinzas. (266 páginas - 13,5 x 20 cm)

A Formação de um Líder

Este livro traz elementos indispensáveis para a formação de um líder segundo o coração do próprio Deus. Um líder que recebeu do Senhor um sonho que parecia ser humanamente impossível. - (380 páginas - 15 x 21 cm)

A Raiz da Rejeição

Neste livro Joyce Meyer lhe mostrará que Deus tem poder para libertá-lo de todos os efeitos danosos da rejeição. Nosso Pai providenciou um meio para que nós, como seus filhos, sejamos livres da raiz de rejeição. (125 páginas - 13 x 20 cm)

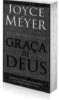

Se Não Fosse pela Graça de Deus

Graça é o poder de Deus disponível para satisfazer todas as nossas necessidades. Através deste livro você irá conhecer mais sobre a graça de Deus e como recebê-la através da fé. (198 páginas - 13,5 x 21 cm)

Visite: www.bellopublicacoes.com

Devocionais

JOYCE MEYER

Começando Bem Seu Dia
Devocionais para cada manhã do ano. Palavras inspiradoras, vivas e de simples aplicações para cada novo dia. Adquira o seu, e começe bem seu dia. - (366 páginas - 11 x 15,5 cm)

Terminando Bem Seu Dia
Ricos devocionais para cada noite do ano. Mensagens que irão trazer forças e refrigério a cada final de dia. Adquira-o já, e passe a terminar bem seu dia. - (366 páginas - 11 x 15,5 cm)

A Decisão Mais Importante Que Você Deve Tomar
Mesmo que nosso corpo morra, o nosso espírito continua a viver na eternidade. Se seu espírito vai para o céu ou para o inferno, irá depender somente das escolhas que você faz. (59 páginas - 12 x 17 cm)

Curando o Coração Ferido
Se você foi ferido no passado ou se sente indigno, pode ser difícil receber o amor incondicional de Deus. Deixe a Palavra de Deus começar a operar em você hoje! (88 páginas - 12,5 x 17,5 cm)

Paz
A paz deve ser o árbitro em nossa vida. Segue a paz e de certo gozarás vida. Jesus deixou-nos a Sua paz, uma paz especial, a paz que existe até no meio da tempestade. (56 páginas - 12 x 17 cm)

Diga a Eles que os Amo
Uma grande porcentagem das dificuldades que as pessoas enfrentam tem origem na falta do conhecimento de que Deus as ama pessoalmente. Creia que você é importante para Deus! - (54 páginas - 12 x 17 cm)

Visite: www.bellopublicacoes.com